Joseph De Maistre

Victor Hugo

Copyright pour le texte et la couverture © 2023 Culturea
Edition : Culturea (culurea.fr), 34 Hérault
Contact : infos@culturea.fr
Impression : BOD, Norderstedt (Allemagne)
ISBN : 9791041834648
Date de publication : juillet 2023
Mise en page et maquettage : https://reedsy.com/
Cet ouvrage a été composé avec la police Bauer Bodoni

JOSEPH DE MAISTRE

I

Un signal lugubre est donné, un ministre abject de

la justice vient frapper à sa porte, et l'avertir

qu'on a besoin de lui.

La nuit venait de tomber; un vent froid sifflait autour de la TourMaudite, et les portes de la ruine de Vygla tremblaient dans leurs gonds, comme si la même main les eût secouées toutes à la fois.

Les farouches habitants de la tour, le bourreau et sa famille, étaient réunis autour du foyer allumé au milieu de la salle du premier étage, qui jetait des rougeurs vacillantes sur leurs visages sombres et sur leurs vêtements d'écarlate. Il y avait dans les traits des enfants quelque chose de féroce comme le rire de leur père, et de hagard comme le regard de leur mère. Leurs yeux, ainsi que ceux de Bechlie, étaient tournés vers Orugix, qui, assis sur une escabelle de bois, paraissait reprendre haleine, et dont les pieds, couverts de poussière, annonçaient qu'il venait d'arriver de quelque lointaine expédition.

Femme, écoute; écoutez, enfants. Ce n'est pas pour apporter de mauvaises nouvelles que j'ai été absent deux jours entiers. Si, avant un mois, je ne suis pas exécuteur royal, je veux ne savoir pas serrer un nœud coulant ou manier une hache. Réjouissezvous, mes petits louveteaux, votre père vous laissera peutêtre pour héritage l'échafaud même de Copenhague.

Nychol, demanda Bechlie, qu'y atil donc?

Et toi, ma vieille bohémienne, reprit Nychol avec son rire pesant, réjouistoi aussi! tu peux t'acheter des colliers de verre bleu pour orner ton cou de cigogne étranglée. Notre engagement expire bientôt; mais va, dans un mois, quand tu me verras le premier bourreau des deux royaumes, tu ne refuseras pas de casser une autre cruche avec moi.

Qu'y atil donc, qu'y atil donc, mon père? demandèrent les enfants, dont l'aîné jouait avec un chevalet tout sanglant, tandis que le plus petit s'amusait à plumer vivant un petit oiseau qu'il avait pris à sa mère dans le nid même.

Ce qu'il y a, mes enfants?Tue donc cet oiseau, Haspar, il crie comme une mauvaise scie; et d'ailleurs il ne faut pas être cruel. Tuele.Ce qu'il y a? Rien, peu de chose vraiment, sinon, dame Bechlie, qu'avant huit jours d'ici l'exchancelier Schumacker, qui est prisonnier à Munckholm, après avoir vu mon visage de si près à Copenhague, et le fameux brigand d'Islande Han de Klipstadur, me passeront peutêtre tous deux à la fois par les mains.

L'œil égaré de la femme rouge prit une expression d'étonnement et de curiosité.

Schumacker! Han d'Islande! comment cela, Nychol?

Voilà tout. J'ai rencontré hier matin, sur la route de Skongen, au pont de l'Ordals, tout le régiment des arquebusiers de Munckholm, qui s'en retournait à Drontheim d'un air très victorieux. J'ai questionné un des soldats, qui a daigné me répondre, parce qu'il ignorait sans doute pourquoi ma casaque et ma charrette sont rouges; j'ai appris que les arquebusiers revenaient des gorges du PilierNoir, où ils avaient mis en pièces des bandes de brigands, c'estàdire de mineurs insurgés. Or, tu sauras, Bechlie la bohémienne, que ces rebelles se révoltaient pour Schumacker, et étaient commandés par Han d'Islande. Tu sauras que cette levée de boucliers constitue pour Han d'Islande un bon crime d'insurrection contre l'autorité royale, et pour Schumacker un bon crime de haute trahison; ce qui amène tout naturellement ces deux honorables seigneurs à la potence ou au billot. Ajoute à ces deux superbes exécutions, qui ne peuvent manquer de me rapporter au moins quinze ducats d'or chacune, et de me faire le plus grand honneur dans les deux royaumes, celles, moins importantes, à la vérité, de quelques autres....

Mais quoi! interrompit Bechlie, Han d'Islande a donc été pris?

Pourquoi interrompezvous votre seigneur et maître, femme de perdition? dit le bourreau. Oui, sans doute, ce fameux, cet imprenable Han d'Islande a été pris, avec quelques autres chefs de brigands, ses lieutenants, qui me rapporteront bien aussi chacun douze écus par tête, sans compter la vente des cadavres. Il a été pris, vous disje, et je l'ai vu, puisqu'il faut satisfaire entièrement votre curiosité, passer entre les rangs des soldats.

La femme et les enfants se rapprochèrent vivement d'Orugix.

Quoi! tu l'as vu, père? demandèrent les enfants.

Taisezvous, enfants. Vous criez comme un coquin qui se dit innocent. Je l'ai vu. C'est une espèce de géant; il marchait les bras croisés, enchaînés derrière le dos, et le front bandé. C'est que, sans doute, il a été blessé à la tête. Mais, qu'il soit tranquille, avant peu je l'aurai guéri de cette blessure.

Après avoir mêlé à ces horribles paroles un horrible geste, le bourreau continua:

Il y avait derrière lui quatre de ses compagnons, également prisonniers, blessés de même, et qu'on menait comme lui à Drontheim, où ils seront jugés, avec l'exgrandchancelier Schumacker, par un tribunal où siégera le hautsyndic, et que présidera le grandchancelier actuel.

Père, quel visage avaient les autres prisonniers?

Les deux premiers étaient deux vieillards, dont l'un portait le feutre de mineur, et l'autre le bonnet de montagnard. Tous deux paraissaient désespérés. Des deux autres, l'un était un jeune mineur, qui marchait la tête haute, en sifflant; l'autre....Te souvienstu, ma damnée Bechlie, de ces voyageurs qui sont entrés dans cette tour, il y a une dizaine de jours, la nuit de ce violent orage?

Comme Satan se souvient du jour de sa chute, répondit la femme.

Avaistu remarqué parmi ces étrangers un jeune homme qui accompagnait ce vieux docteur fou à grande perruque? un jeune homme, te disje, vêtu d'un grand manteau vert et coiffé d'une toque à plume noire?

En vérité, je crois l'avoir encore devant les yeux, me disant: Femme, nous avons de l'or.

Eh bien! la vieille, je veux n'avoir jamais étranglé que des coqs de bruyère, si le quatrième prisonnier n'est pas ce jeune homme. Sa figure m'était, à la vérité, entièrement cachée par sa plume, sa toque, ses cheveux et son manteau; d'ailleurs, il baissait la tête. Mais c'est bien le même vêtement, les mêmes bottines, le même air. Je veux avaler d'une bouchée le gibet de pierre de Skongen, si ce n'est pas le même homme! Que distu de cela, Bechlie? Ne seraitil pas plaisant qu'après avoir reçu de moi de quoi soutenir sa vie, cet étranger en reçût également de quoi l'abréger, et qu'il exerçât mon habileté après avoir éprouvé mon hospitalité?

Le bourreau prolongea quelque temps son gros rire sinistre; puis il reprit:

Allons, réjouissezvous donc tous, et buvons; oui, Bechlie, donnemoi un verre de cette bière qui râpe le gosier comme si l'on buvait des limes, que je le vide à mon avancement futur.Allons, honneur et santé au seigneur Nychol Orugix, exécuteur royal en perspective!Je t'avouerai, vieille pécheresse, que j'ai eu de la peine à me rendre au bourg de Noes pour y pendre obscurément je ne sais quel ignoble voleur de choux et de chicorée. Cependant, en y réfléchissant, j'ai pensé que trentedeux ascalins n'étaient pas encore à dédaigner, et que mes mains ne se dégraderaient en exécutant de simples voleurs et autres canailles de ce genre que lorsqu'elles auraient décapité le noble comte exgrandchancelier et le fameux démon d'Islande. Je me suis donc résigné, en attendant mon diplôme de maître royal des hautesœuvres, à expédier le pauvre misérable du bourg de Noes; et voici, ajoutatil en tirant une bourse de cuir de son havresac, voici les trentedeux ascalins que je t'apporte, la vieille.

En ce moment, le bruit du cor se fit entendre à trois reprises différentes, en dehors de la tour.

Femme, cria Orugix en se levant, ce sont les archers du hautsyndic.

À ces mots, il descendit en toute hâte.

Un instant après il reparut, portant un grand parchemin, dont il avait rompu le sceau.

Tiens, ditil à sa femme, voilà ce que le hautsyndic m'envoie. Déchiffremoi cela, toi qui lirais le grimoire de Satan. Ce sont peutêtre déjà mes lettres de promotion; car, puisque le tribunal aura un grandchancelier pour président et un grandchancelier pour accusé, il conviendrait que le bourreau qui exécutera son arrêt fût un bourreau royal.

La femme reçut le parchemin, et, après y avoir quelque temps promené ses yeux, elle lut à haute voix, tandis que les enfants jetaient sur elle un regard hébété et stupide:

«Au nom du hautsyndic du Drontheimhus!il est ordonné à Nychol Orugix, bourreau de la province, de se transporter surlechamp à Drontheim, et de se munir de la hache d'honneur, du billot et des tentures noires.»

C'est là tout? demanda le bourreau d'une voix mécontente.

C'est là tout, répondit Bechlie.

Bourreau de la province! murmura Orugix entre ses dents.

Il resta un moment jetant sur le parchemin syndical des regards d'humeur.

Allons, ditil enfin, il faut obéir et partir. Voici pourtant qu'on me demande la hache d'honneur et les tentures noires.Tu auras soin, Bechlie, d'enlever les gouttes de rouille qui ont délustré ma hache, et de voir si la draperie n'est pas tachée en plusieurs endroits. En somme, il ne faut pas se décourager, ils ne veulent peutêtre m'accorder d'avancement que comme salaire de cette belle exécution. Tant pis pour les condamnés, ils n'auront pas la satisfaction d'être mis à mort par un exécuteur royal.

II

ELVINE.

Qu'est devenu le pauvre Sanche? Il n'a point paru

dans la ville.

NUNO.

Sanche aura su se mettre à couvert.

LOPE DE VEGA. Le meilleur alcade est le roi.

Le comte d'Ahlefeld, traînant une ample simarre de satin noir doublée d'hermine, la tête et les épaules cachées par une large perruque magistrale, et la poitrine chargée de plusieurs étoiles et décorations, parmi lesquelles on distinguait les colliers des ordres royaux de l'éléphant et de Dannebrog; revêtu, en un mot, du costume complet de grandchancelier de Danemark et de Norvège, se promenait d'un air soucieux dans l'appartement de la comtesse d'Ahlefeld, seule avec lui en ce moment.

Allons, il est neuf heures, le tribunal va entrer en séance; il ne faut pas le faire attendre, car il est nécessaire que l'arrêt soit rendu dans la nuit, afin qu'on l'exécute demain matin au plus tard. Le hautsyndic m'a assuré que le bourreau serait ici avant l'aube. Elphége! avezvous ordonné qu'on apprêtât la barque qui doit me transporter à Munckholm?

Monseigneur, elle vous attend depuis une demiheure au moins, répondit la comtesse en se soulevant sur son fauteuil.

Et ma litière estelle à la porte?

Oui, monseigneur.

Allons!....Vous dites donc, Elphége, ajouta le comte en se frappant le front, qu'il existe une intrigue amoureuse entre Ordener Guldenlew et la fille de Schumacker?

Très amoureuse, je vous jure! répliqua la comtesse en souriant de colère et de dédain.

Qui se fût imaginé cela?Pourtant, je vous assure que je m'en étais déjà douté.

Et moi aussi, dit la comtesse.C'est un tour que ce maudit Levin nous a joué.

Vieux scélérat de mecklembourgeois! murmura le chancelier; va, je te recommanderai à Arensdorf.

Si je pouvais le faire disgracier!Eh! mais, écoutez donc, Elphége, voici un trait de lumière.

Quoi donc?

Vous savez que les individus que nous allons juger dans le château de Munckholm sont au nombre de six:Schumacker, que je ne redouterai plus, j'espère, demain à pareille heure; ce montagnard colosse, notre faux Han d'Islande, qui a juré de soutenir le rôle jusqu'à la fin, dans l'espérance que Musdœmon, dont il a déjà reçu de fortes sommes d'argent, le fera évader.Ce Musdœmon a des idées vraiment diaboliques!Les quatre autres accusés sont les trois chefs des rebelles, et un quidam qui s'est trouvé, on ne sait comment, au milieu du rassemblement d'ApsylCorh, et que les précautions prises par Musdœmon ont fait tomber dans nos mains. Musdœmon pense que cet homme est un espion de Levin de Knud. Et, en effet, en arrivant ici prisonnier, sa première parole a été pour demander le général; et quand il a appris l'absence du mecklembourgeois, il a paru consterné. Du reste, il n'a voulu répondre à aucune des questions que lui a adressées Musdœmon.

Mon cher seigneur, interrompit la comtesse, pourquoi ne l'avezvous pas interrogé vousmême?

En vérité, Elphége, comment l'auraisje pu au milieu de tous les soins qui m'accablent depuis mon arrivée? Je me suis reposé de cette affaire sur Musdœmon, qu'elle intéresse autant que moi. D'ailleurs, ma chère, cet homme n'est d'aucune importance par luimême; c'est quelque pauvre vagabond. Nous n'en pourrons tirer parti qu'en le présentant comme un agent de Levin de Knud, et, comme il a été pris dans les rangs des rebelles, cela pourra prouver entre le mecklembourgeois et Schumacker une connivence coupable, qui suffira pour provoquer, sinon la mise en accusation, du moins la disgrâce du maudit Levin.

La comtesse parut méditer un moment.

Vous avez raison, monseigneur. Mais cette fatale passion du baron Thorvick pour Éthel Schumacker....

Le chancelier se frotta le front de nouveau; puis tout à coup haussant les épaules:

Écoutez, Elphége, nous ne sommes plus ni l'un ni l'autre jeunes et novices dans la vie, et pourtant nous ne connaissons pas les hommes! Quand Schumacker aura été une seconde fois flétri par un jugement de haute trahison, quand il aura subi sur l'échafaud une condamnation infamante, quand sa fille, retombée audessous des derniers rangs de la société, sera souillée à jamais publiquement de tout l'opprobre de son père, pensezvous, Elphége, qu'alors Ordener Guldenlew se souvienne un seul instant de cette amourette d'enfance, que vous nommez passion, d'après les discours exaltés d'une jeune folle prisonnière, et qu'il balance un seul jour entre la fille déshonorée d'un misérable criminel et la fille illustre d'un glorieux chancelier? Il faut juger les hommes d'après soi, ma chère; où avezvous vu que le cœur humain fût ainsi fait?

Je souhaite que vous ayez encore raison. Vous ne trouverez cependant pas inutile, n'estil pas vrai, la demande que j'ai faite au syndic pour que la fille de Schumacker assiste au procès de son père, et soit placée dans la même tribune que moi? Je suis curieuse d'étudier cette créature.

Tout ce qui peut nous éclairer sur cette affaire est précieux, dit le chancelier avec flegme. Mais, ditesmoi, saiton où cet Ordener est en ce moment?

Personne au monde ne le sait; c'est le digne élève de ce vieux Levin, un chevalier errant comme lui. Je crois qu'il visite en ce moment WardHus.

Bien, bien, notre Ulrique le fixera. Allons, j'oublie que le tribunal m'attend.

La comtesse arrêta le grandchancelier.

Encore un mot, monseigneur. Je vous en ai parlé hier, mais votre esprit était occupé, et je n'ai pu obtenir de réponse. Où est mon Frédéric?

Frédéric! dit le comte avec une expression lugubre, et en portant la main sur son visage.

Oui; répondezmoi, mon Frédéric! Son régiment est de retour à Drontheim sans lui. Jurezmoi que Frédéric n'était pas dans cette horrible gorge du PilierNoir. Pourquoi votre figure atelle changé au nom de Frédéric? Je suis dans une mortelle inquiétude.

Le chancelier reprit sa physionomie impassible.

Elphége, tranquillisezvous. Je vous jure qu'il n'était point dans le défilé du PilierNoir. D'ailleurs, on a publié la liste des officiers tués ou blessés dans cette rencontre.

Oui, dit la comtesse calmée, vous me rassurez. Deux officiers seulement ont été tués, le capitaine Lory et le jeune baron Randmer, qui a fait tant de folies avec mon pauvre Frédéric dans les bals de Copenhague! Oh! j'ai lu et relu la liste, je vous assure. Mais ditesmoi, monseigneur, mon fils est donc resté à Walhstrom?

Il y est resté, répondit le comte.

Eh bien, cher ami, dit la mère avec un sourire qu'elle s'efforçait de rendre tendre, je ne vous demande qu'une grâce, c'est de faire revenir vite mon Frédéric de cet affreux pays.

Le chancelier se dégagea péniblement de ses bras suppliants.

Madame, ditil, le tribunal m'attend. Adieu, ce que vous me demandez ne dépend pas de moi.

Et il sortit brusquement.

La comtesse demeura sombre et pensive.

Cela ne dépend pas de lui! se ditelle; et il lui suffirait d'un mot pour me rendre mon fils!Je l'ai toujours pensé, cet hommelà est vraiment méchant.

III

La tremblante Éthel, que les gardes ont séparée de son père à la sortie du donjon du Lion de Slesvig, a été conduite, à travers de ténébreux corridors, jusqu'alors inconnus d'elle, dans une sorte de cellule obscure, qu'on a refermée sur son entrée. Du côté de la cellule opposée à la porte est une grande ouverture grillée, à travers laquelle pénètre une lumière de torches et de flambeaux. Devant cette ouverture est une banquette sur laquelle est placée une femme voilée et vêtue de noir, qui lui fait signe de s'asseoir auprès d'elle. Elle obéit en silence et interdite.

Ses yeux se portent au delà de l'ouverture grillée. Un tableau sombre et imposant est devant elle.

À l'extrémité d'une salle, tendue de noir, et faiblement éclairée par des lampes de cuivre suspendues à la voûte, s'élève un tribunal noir arrondi en fer à cheval, occupé par sept juges vêtus de robes noires, dont l'un, placé au centre sur un siège plus élevé, porte sur sa poitrine des chaînes de diamants et des plaques d'or qui étincellent. Le juge assis à la droite de celuici se distingue des autres par une ceinture blanche et un manteau d'hermine, insigne du hautsyndic de la province. À droite du tribunal est une estrade couverte d'un dais, où siège un vieillard, revêtu d'habits pontificaux; à gauche, une table chargée de papiers, derrière laquelle se tient debout un homme de petite taille, coiffé d'une énorme perruque, et enveloppé des plis d'une longue robe noire.

On remarque, en face des juges, un banc de bois entouré de hallebardiers qui portent des torches, dont la lueur, réfléchie par une forêt de piques, de mousquets et de pertuisanes, répand de vagues rayons sur les têtes tumultueuses d'une foule de spectateurs, pressés contre la grille de fer qui les sépare du tribunal.

Éthel observait ce spectacle comme si elle eût assisté éveillée à un rêve; cependant elle était loin de se sentir indifférente à ce qui allait se passer sous ses yeux. Elle entendait en elle comme une voix intime qui l'avertissait d'être attentive, parce qu'elle touchait à l'une des crises de sa vie. Son cœur était en proie à deux agitations différentes en même temps; elle eût voulu savoir surlechamp en quoi elle était intéressée à la scène qu'elle contemplait, ou ne le savoir jamais. Depuis plusieurs jours, l'idée que son Ordener était perdu pour elle lui avait inspiré le désir désespéré d'en finir d'une fois avec l'existence, et de pouvoir lire d'un coup d'œil tout le livre de sa destinée. C'est pourquoi, comprenant qu'elle entrait dans l'heure décisive de son sort, elle examina le tableau lugubre qui s'offrait à elle, moins avec répugnance qu'avec une sorte de joie impatiente et funèbre.

Elle vit le président se lever, en proclamant, au nom du roi, que l'audience de justice était ouverte.

Elle entendit le petit homme noir, placé à la gauche du tribunal, lire, d'une voix basse et rapide, un long discours où le nom de son père, mêlé aux mots de conspiration, de révolte des mines, de hautetrahison, revenait fréquemment. Alors elle se rappela ce que la fatale inconnue lui avait dit, dans le jardin du donjon, de l'accusation dont son père était menacé; et elle frémit quand elle entendit l'homme à la robe noire terminer son discours par le mot de mort, fortement articulé.

Épouvantée, elle se tourna vers la femme voilée, pour laquelle un sentiment qu'elle ne s'expliquait pas lui inspirait de la crainte:

Où sommesnous? qu'estce que tout ceci? demandatelle timidement.

Un geste de sa mystérieuse compagne l'invita au silence et à l'attention. Elle reporta sa vue dans la salle du tribunal.

Le vieillard vénérable, en habits épiscopaux, venait de se lever; et Éthel recueillit ces paroles, qu'il prononça distinctement:

Au nom du Dieu toutpuissant et miséricordieux,moi, PamphileÉleuthère, évêque de la royale ville de Drontheim et de la royale province du Drontheimhus, je salue le respectable tribunal qui juge au nom du roi, notre seigneur après Dieu;

Et je disqu'ayant remarqué que les prisonniers amenés devant ce tribunal étaient des hommes et des chrétiens, et qu'ils n'avaient point de procureurs, je déclare aux respectables juges que mon intention est de les assister de mon faible secours, dans la cruelle position où le ciel les a voulu mettre;

Priant Dieu de daigner donner sa force à notre infirme faiblesse, et sa lumière à notre profonde cécité.

C'est ainsi que moi, évêque de ce royal diocèse, je salue le respectable et judicieux tribunal.

Après avoir parlé ainsi, l'évêque descendit de son trône pontifical, et alla s'asseoir sur le banc de bois destiné aux accusés, tandis qu'un murmure d'approbation éclatait parmi le peuple.

Le président se leva, et dit d'une voix sèche:

Hallebardiers, qu'on fasse silence!Seigneur évêque, le tribunal remercie votre révérence, au nom des prisonniers.Habitants du Drontheimhus, soyez attentifs à la haute justice du roi; le tribunal va juger sans appel. Archers,qu'on amène les accusés.

Il se fit dans l'auditoire un silence d'attente et de terreur; seulement toutes les têtes s'agitèrent dans l'ombre, comme les sombres vagues d'une mer orageuse, sur laquelle le tonnerre s'apprête à gronder.

Bientôt Éthel entendit une rumeur sourde et un mouvement extraordinaire se prolonger audessous d'elle, dans les sinistres avenues de la salle; puis l'auditoire se rangea avec un frémissement d'impatience et de curiosité; des pas multipliés retentirent; des hallebardes et des mousquets brillèrent; et bientôt six hommes enchaînés et entourés de gardes pénétrèrent, la tête nue, dans l'enceinte du tribunal. Éthel ne vit que le premier de ces six prisonniers; c'était un vieillard à barbe blanche, vêtu d'une simarre noire; c'était son père.

Elle s'appuya défaillante sur la balustrade de pierre qui était devant sa banquette; les objets roulaient sous ses yeux comme dans un nuage confus, et il lui semblait que son cœur palpitait à son oreille. Elledit d'une voix faible:

O Dieu, secourezmoi!

La femme voilée se pencha vers elle, et lui fit respirer des sels qui la réveillèrent de sa léthargie.

Noble dame, ditelle ranimée, de grâce, un mot de votre voix pour me convaincre que je ne suis pas ici le jouet des fantômes de l'enfer.

Mais l'inconnue, sourde à sa prière, avait retourné sa tête vers le tribunal; et la pauvre Éthel, qui avait retrouvé quelque force, se résigna à l'imiter en silence.

Le président s'était levé, et avait dit d'une voix lente et solennelle:

Prisonniers, on vous amène devant nous pour que nous ayons à examiner si vous êtes coupables de hautetrahison, de conspiration, de révolte par les armes contre l'autorité du roi notre souverain seigneur. Méditez maintenant dans vos consciences, car une accusation de lèsemajesté au premier chef pèse sur vos têtes.

En ce moment un rayon de lumière tomba sur le visage d'un des six accusés, d'un jeune homme qui tenait sa tête penchée sur sa poitrine, comme pour dérober ses traits sous les boucles pendantes de ses longs cheveux. Éthel tressaillit, et une sueur froide sortit de tous ses membres; elle avait cru reconnaître....Mais non, c'était une cruelle illusion; la salle était faiblement éclairée, et les hommes s'y mouvaient comme des ombres; à peine distinguait-on le grand christ d'ébène poli, placé au-dessus du fauteuil du président.

Cependant ce jeune homme était enveloppé d'un manteau qui de loin paraissait vert, ses cheveux en désordre avaient des reflets châtains, et le rayon inattendu qui avait dessiné ses traits.... Mais non, cela n'était pas, cela ne pouvait être! c'était une horrible illusion.

Les prisonniers étaient assis sur le banc où était descendu l'évêque. Schumacker s'était placé à l'une des extrémités; il était séparé du jeune homme aux cheveux châtains par ses quatre compagnons d'infortune, qui portaient des vêtements grossiers, et au nombre desquels on remarquait une espèce de géant. L'évêque siégeait à l'autre extrémité du banc.

Éthel vit le président se tourner vers son père.

Vieillard, dit-il d'une voix sévère, dites-nous votre nom et qui vous êtes.

Le vieillard souleva sa tête vénérable.

Autrefois, répondit-il en regardant fixement le président, on m'appelait comte de Griffenfeld et de Tongsberg, prince de Wollin, prince du Saint-Empire, chevalier de l'ordre royal de l'éléphant, chevalier de l'ordre royal de Dannebrog; chevalier de la toison d'or d'Allemagne et de la jarretière d'Angleterre, premier ministre, inspecteur général des universités, grand-chancelier de Danemark et de....

Le président l'interrompit.

Accusé, le tribunal ne vous demande ni comment on vous a nommé, ni ce que vous avez été, mais comment on vous nomme, et ce que vous êtes.

Eh bien, reprit vivement le vieillard, maintenant je m'appelle Jean Schumacker, j'ai soixante-neuf ans, et je ne suis rien, que votre ancien bienfaiteur, chancelier d'Ahlefeld.

Le président parut interdit.

Je vous ai reconnu, seigneur comte, ajouta l'ex-chancelier, et comme j'ai cru voir qu'il n'en était pas de même à mon égard de votre côté, j'ai pris la liberté de rappeler à votre grâce que nous sommes de vieilles connaissances.

Schumacker, dit le président d'un ton où l'on sentait l'accent de la colère concentrée, épargnez les moments du tribunal.

Le vieux captif l'interrompit encore:

Nous avons changé de rôle, noble chancelier; autrefois c'était moi qui vous appelais simplement d'Ahlefeld, et vous qui me disiez seigneur comte.

Accusé, répliqua le président, vous nuisez à votre cause en rappelant le jugement infamant dont vous êtes déjà flétri.

Si ce jugement est infamant pour quelqu'un, comte d'Ahlefeld, ce n'est pas pour moi.

Le vieillard s'était levé à demi en prononçant ces paroles avec force. Le président étendit la main vers lui.

Asseyezvous. N'insultez pas, devant un tribunal, et aux juges qui vous ont condamné, et au roi qui vous a donné ces juges. Rappelezvous que sa majesté a daigné vous accorder la vie, et bornezvous ici à vous défendre.

Schumacker ne répondit qu'en haussant les épaules.

Avezvous, demanda le président, quelques aveux à faire au tribunal touchant le crime capital dont vous êtes accusé?

Voyant que Schumacker gardait le silence, le président répéta sa question.

Estce que c'est à moi que vous parlez? dit l'exgrandchancelier. Je croyais, noble comte d'Ahlefeld, que vous vous parliez à vousmême. De quel crime m'entretenezvous? Estce que j'ai jamais donné le baiser d'Iscariote à un ami? Aije emprisonné, condamné, déshonoré un bienfaiteur? dépouillé celui à qui je devais tout? J'ignore, en vérité, seigneur chancelier actuel, pourquoi l'on m'amène ici. C'est sans doute pour juger de votre habileté à faire tomber des têtes innocentes. Je ne serai point fâché en effet de voir si vous saurez aussi bien me perdre que vous perdez le royaume, et s'il vous suffira d'une virgule pour causer ma mort, comme il vous a suffi d'une lettre de l'alphabet pour provoquer la guerre avec la Suède.[*]

[*] Il y avait eu en effet de très graves différends entre le Danemark et la Suède, parce que le comte d'Ahlefeld avait exigé, dans une négociation, qu'un traité entre les deux états donnât au roi de Danemark le titre de rex Gothorum, ce qui semblait attribuer au monarque danois la souveraineté de la Gothie, province suédoise; tandis que les Suédois ne voulaient lui accorder que la qualité de rex Gotorum, dénomination vague qui équivalait à l'ancien titre des souverains danois, roi des Gots.

C'est à cette h, cause, non d'une guerre, mais de longues et menaçantes négociations, que Schumacker faisait sans doute allusion.

À peine achevaitil cette raillerie amère, que l'homme placé devant la table à gauche du tribunal se leva.

Seigneur président, ditil, après s'être incliné profondément, seigneurs juges, je demande que la parole soit interdite à Jean Schumacker, s'il continue d'injurier ainsi sa grâce le président de ce respectable tribunal.

La voix calme de l'évêque s'éleva:

Seigneur secrétaire intime, on ne peut interdire la parole à un accusé.

Vous avez raison, révérend évêque, s'écria le président avec précipitation. Notre intention est de laisser le plus de liberté possible à la défense.J'engage seulement l'accusé à modérer son langage, s'il comprend ses véritables intérêts.

Schumacker secoua la tête et dit froidement:

Il parait que le comte d'Ahlefeld est plus sûr de son fait qu'en 1677.

Taisezvous, dit le président; et s'adressant surlechamp au prisonnier voisin du vieillard, il lui demanda quel était son nom. C'était un montagnard d'une taille colossale, dont le front était entouré de bandages, qui se leva en disant:

Je suis Han, de Klipstadur, en Islande.

Un frémissement d'épouvante erra quelque temps dans la foule, et Schumacker, soulevant sa tête pensive déjà retombée sur sa poitrine, jeta un brusque regard sur son formidable voisin, dont tous les autres coaccusés se tenaient éloignés.

Han d'Islande, demanda le président quand le trouble fut dissipé, qu'avezvous à dire au tribunal?

De tous les spectateurs, Éthel n'avait pas été la moins frappée de la présence du brigand fameux qui, depuis si longtemps, lui apparaissait dans toutes ses terreurs. Elle attacha avec une avidité craintive son regard sur le géant monstrueux que son Ordener avait peutêtre combattu, dont il avait peutêtre été la victime. Cette idée se retourna dans son cœur sous toutes ses formes douloureuses. Aussi, entièrement absorbée par une foule d'émotions déchirantes, elle entendit à peine la réponse qu'adressait au président, dans un langage grossier et embarrassé, ce Han d'Islande, en qui elle voyait presque le meurtrier de son Ordener. Elle comprit seulement que le brigand se déclarait le chef des bandes rebelles.

Estce de vousmême, demanda le président, ou par une instigation étrangère, que vous avez pris le commandement des insurgés?

Le brigand répondit:

Ce n'est pas de moimême.

Qui vous a provoqué à ce crime?

Un homme qui s'appelait Hacket.

Quel était ce Hacket?

Un agent de Schumacker, qu'il nommait aussi comte de Griffenfeld.

Le président s'adressa à Schumacker:

Schumacker, connaissezvous ce Hacket?

Vous m'avez prévenu, comte d'Ahlefeld, repartit le vieillard; j'allais vous adresser la même question.

Jean Schumacker, dit le président, vous êtes mal conseillé par votre haine. Le tribunal appréciera votre système de défense.

L'évêque prit la parole.

Seigneur secrétaire intime, ditil en se tournant vers l'homme de petite taille, qui paraissait faire les fonctions de greffier et d'accusateur, ce Hacket estil parmi mes clients?

Non, votre révérence, répondit le secrétaire.

Saiton ce qu'il est devenu?

On n'a pu le saisir; il a disparu.

On eût dit qu'en parlant ainsi le seigneur secrétaire intime composait sa voix.

Je crois plutôt qu'il s'est évanoui, dit Schumacker.

L'évêque continua:

Seigneur secrétaire, faiton poursuivre ce Hacket? Aton son signalement?

Avant que le secrétaire intime eût pu répondre, un des prisonniers se leva; c'était un jeune mineur d'un visage âpre et fier.

Il serait aisé de l'avoir, ditil d'une voix forte. Ce misérable Hacket, l'agent de Schumacker, est un homme de petite stature, d'une figure ouverte, mais ouverte comme une bouche de l'enfer.Tenez, seigneur évêque, sa voix ressemble beaucoup à celle de ce seigneur qui écrit là sur cette table, et que votre révérence appelle, je crois, secrétaire intime. Et même, si cette salle était moins sombre, et que le seigneur secrétaire intime eût moins de cheveux pour lui cacher le visage, j'assurerais presque qu'il y a dans ses traits quelque ressemblance avec ceux du traître Hacket.

Notre frère dit vrai, s'écrièrent les deux prisonniers voisins du jeune mineur.

Vraiment! murmura Schumacker avec une expression de triomphe.

Cependant le secrétaire avait fait un mouvement involontaire, soit de crainte, soit de l'indignation qu'il ressentait d'être comparé à ce Hacket. Le président, qui luimême avait paru troublé, se hâta d'élever la voix.

Prisonniers, n'oubliez pas que vous ne devez parler que lorsque le tribunal vous interroge; et surtout n'outragez pas les ministres de la justice par d'indignes comparaisons.

Cependant, seigneur président, dit l'évêque, ceci n'est qu'une question de signalement. Si le coupable Hacket offre quelques points de ressemblance avec le secrétaire, cela pourrait être utile.

Le président l'interrompit.

Han d'Islande, vous qui avez eu tant de rapports avec Hacket, ditesnous, pour satisfaire le révérend évêque, si cet homme ressemble en effet à notre très honoré secrétaire intime.

Nullement, seigneur, répondit le géant sans hésiter.

Vous voyez, seigneur évêque, ajouta le président.

L'évêque prononça d'un signe de tête qu'il était satisfait; et le président, s'adressant à un autre accusé, prononça la formule usitée:

Quel est votre nom?

Wilfrid Kennybol, des montagnes de Kole.

Étiezvous parmi les insurgés?

Oui, seigneur; la vérité vaut mieux que la vie. J'ai été pris dans les gorges maudites du PilierNoir. J'étais le chef des montagnards.

Qui vous a poussé au crime de rébellion?

Nos frères les mineurs se plaignaient de la tutelle royale, et cela était tout simple, n'estce pas, votre courtoisie? Vous n'auriez qu'une hutte de boue et deux mauvaises peaux de renard, que vous ne seriez pas fâché d'en être le maître. Le gouvernement n'a pas écouté leurs prières. Alors, seigneur, ils ont songé à se révolter, et nous ont priés de les aider. Un si petit service ne se refuse pas entre frères qui récitent les mêmes oraisons et chôment les mêmes saints. Voilà tout.

Personne, dit le président, n'atil éveillé, encouragé et dirigé votre insurrection?

C'était un seigneur Hacket, qui nous parlait sans cesse de délivrer un comte prisonnier à Munckholm, dont il se disait l'envoyé. Nous le lui avons promis, parce qu'une liberté de plus ne nous coûtait rien.

Ce comte ne s'appelaitil pas Schumacker ou Griffenfeld?

Justement, votre courtoisie.

Vous ne l'avez jamais vu?

Non, seigneur; mais si c'est ce vieillard qui vous a dit tout à l'heure tant de noms, je ne puis faire autrement que de convenir....

De quoi? interrompit le président.

Qu'il a une bien belle barbe blanche, seigneur, presque aussi belle que celle du père du mari de ma sœur Maase, de la bourgade de Surb, lequel a vécu jusqu'à cent vingt ans.

L'ombre répandue dans la salle empêcha de voir si le président paraissait désappointé de la naïve réponse du montagnard. Il ordonna aux archers de déployer quelques bannières couleur de feu déposées devant le tribunal.

Wilfrid Kennybol, ditil, reconnaissezvous ces bannières?

Oui, votre courtoisie; elles nous ont été données par Hacket, au nom du comte Schumacker. Le comte fit distribuer aussi des armes aux mineurs; car nous n'en avions pas besoin, nous autres montagnards, qui vivons de la carabine et de la gibecière. Et moi, seigneur, tel que vous me voyez, attaché ici comme une méchante poule qu'on va rôtir, j'ai plus d'une fois, du fond de nos vallées, atteint de vieux aigles, lorsqu'au plus haut de leur vol ils ne semblaient que des alouettes ou des grives.

Vous entendez, seigneurs juges, observa le secrétaire intime; l'accusé Schumacker a fait distribuer par Hacket des armes et des drapeaux aux rebelles.

Kennybol, reprit le président, n'avezvous plus rien à déclarer?

Rien, votre courtoisie, sinon que je ne mérite pas la mort. Je n'ai fait que prêter assistance, en bon frère, aux mineurs, et j'ose affirmer à toutes vos courtoisies que le plomb de ma carabine, tout vieux chasseur que je suis, n'a jamais touché un daim du roi.

Le président, sans répondre à ce plaidoyer, interrogea les deux compagnons de Kennybol. C'étaient des chefs de mineurs. Le plus vieux, qui déclara se nommer Jonas, répéta, en d'autres termes, ce qu'avait avoué Kennybol. L'autre, qui était le jeune homme dont les yeux avaient saisi tant de ressemblance entre le secrétaire intime et le perfide Hacket, dit s'appeler Norbith, confessa fièrement sa part dans la révolte, mais refusa de rien révéler touchant Hacket et Schumacker. Il avait, disaitil, prêté serment de se taire, et ne se souvenait plus que de ce serment. Le président eut beau l'interroger par toutes les menaces et par toutes les prières, l'obstiné jeune homme resta inflexible. D'ailleurs il assurait ne point s'être révolté pour Schumacker, mais seulement parce que sa vieille mère avait faim et froid. Il ne niait point qu'il n'eût peutêtre mérité la mort; mais il affirmait que l'on commettrait une injustice en le condamnant, parce qu'en le tuant on tuerait aussi sa pauvre mère, qui ne l'avait pas mérité.

Quand Norbith eut cessé de parler, le secrétaire intime résuma en peu de mots les charges accablantes qui pesaient jusqu'à ce moment sur les accusés, surtout sur Schumacker. Il lut quelquesunes des devises séditieuses inscrites sur les bannières, et fit ressortir contre l'exgrandchancelier l'unanimité des réponses de ses complices, et jusqu'au silence de ce jeune Norbith, lié par un serment fanatique.Il ne reste plus, ajoutatil en terminant, qu'un accusé à interroger, et nous avons de hautes raisons de le croire agent secret de l'autorité qui a si mal veillé à la tranquillité du Drontheimhus. Cette autorité a favorisé, sinon par sa connivence coupable, du moins par sa fatale négligence, l'explosion de la révolte qui va perdre tous ces malheureux, et rendre à l'échafaud ce Schumacker, que la clémence du roi en avait si généreusement sauvé.

Éthel, qui de ses craintes pour Ordener était revenue, par une cruelle transition, à ses craintes pour son père, frémit à ce langage sinistre, et un torrent de larmes s'échappa de ses yeux, quand elle vit son père se lever, en disant d'une voix tranquille:Chancelier d'Ahlefeld, j'admire tout ceci. Avezvous eu la prévoyance de faire mander le bourreau?

L'infortunée crut en ce moment qu'elle épuisait sa dernière douleur; elle se trompait.

Le sixième accusé venait de se lever; noble et superbe, il avait écarté les cheveux qui couvraient son visage, et aux questions que le président lui avait adressées, il avait répondu d'une voix ferme et haute:

Je m'appelle Ordener Guldenlew, baron de Thorvick, chevalier de Dannebrog.

Un cri de surprise échappa au secrétaire:

Le fils du viceroi!

Le fils du viceroi! répétèrent toutes les voix, comme si la salle eût eu en ce moment mille échos.

Le président avait reculé sur son siège; les juges, jusqu'alors immobiles dans le tribunal, se penchaient tumultueusement les uns vers les autres, ainsi que des arbres qui seraient battus à la fois de vents opposés. L'agitation était plus grande encore dans l'auditoire; les spectateurs montaient sur les corniches de pierre et les grilles de fer; la foule entière parlait comme d'une seule bouche; et les gardes, oubliant de réclamer le silence, mêlaient leurs paroles de surprise à la rumeur universelle.

Quelle âme assez accoutumée aux soudaines émotions de la vie pourrait concevoir ce qui se passa dans l'âme d'Éthel? Qui pourrait rendre ce mélange inouï de joie déchirante et de délicieuse douleur? cette attente inquiète, qui était à la fois de la crainte et de l'espérance, et n'en était cependant pas?Il était devant elle, sans qu'elle fût devant lui! c'était lui qu'elle voyait et qui ne la voyait pas! c'était son bienaimé Ordener, son Ordener, qu'elle avait cru mort, qu'elle savait perdu pour elle, son ami qui l'avait trompée et qu'elle adorait comme d'une adoration nouvelle. Il était là; oui, il était là. Un vain songe ne l'abusait pas; oh! c'était bien lui, cet Ordener, hélas! qu'elle avait rêvé plus souvent encore qu'elle ne l'avait vu.

Mais apparaissaitil dans cette enceinte solennelle comme un ange sauveur ou comme un fatal génie? Devaitelle espérer en lui ou trembler pour lui?Mille conjectures oppressaient à la fois sa pensée et l'étouffaient comme une flamme que trop d'aliment éteint; toutes les idées, toutes les sensations que nous venons d'indiquer parcoururent son esprit comme un éclair, au moment où le fils du viceroi de Norvège prononça son nom. Elle fut la première à le reconnaître, et les autres ne l'avaient pas encore reconnu, qu'elle était évanouie.

Elle reprit bientôt ses sens, pour la seconde fois, grâce aux soins de sa mystérieuse voisine. Pâle, elle rouvrit ses yeux dans lesquels les larmes s'étaient subitement taries. Elle jeta avidement sur le jeune homme, toujours debout et calme dans le tumulte général, un de ces regards qui embrassent tout un être; et le trouble avait cessé dans le tribunal et le peuple, que le nom d'Ordener Guldenlew retentissait encore à son oreille.

Elle remarqua avec une douloureuse inquiétude qu'il portait son bras en écharpe, et que ses mains étaient chargées de fers; elle remarqua que son manteau était déchiré en plusieurs endroits, que son sabre fidèle ne pendait plus à sa ceinture. Rien n'échappa à sa sollicitude; car l'œil d'une amante ressemble à l'œil d'une mère. Elle environna de toute son âme celui qu'elle ne pouvait couvrir de tout son corps; et, il faut le dire à la honte et à la gloire de l'amour, dans cette salle qui renfermait son père et les persécuteurs de son père, Éthel ne vit plus qu'un seul homme.

Le silence s'était rétabli peu à peu. Le président se mit en devoir de commencer l'interrogatoire du fils du viceroi.

Seigneur baron.... ditil d'une voix tremblante.

Je ne m'appelle point ici seigneur baron, répondit Ordener d'une voix ferme, je m'appelle Ordener Guldenlew, comme celui qui a été comte de Griffenfeld s'appelle Jean Schumacker.

Le président resta un moment comme interdit.

Eh bien donc! repritil, Ordener Guldenlew, c'est sans doute par un hasard malheureux que vous êtes amené devant nous. Les rebelles vous auront pris voyageant, vous auront forcé de les suivre, et c'est ainsi, sans doute, que vous avez été trouvé dans leurs rangs.

Le secrétaire se leva:

Nobles juges, le nom seul du fils du viceroi de Norvège est un plaidoyer suffisant pour lui. Le baron Ordener Guldenlew ne peut être un rebelle. Notre illustre président a parfaitement expliqué sa fâcheuse arrestation parmi les rebelles. Le seul tort du noble prisonnier est de n'avoir pas dit plus tôt son nom. Nous demandons qu'il soit mis surlechamp en liberté, abandonnant toute accusation à son égard, et regrettant qu'il se soit assis sur le banc souillé par le criminel Schumacker et ses complices.

Que faitesvous donc? s'écria Ordener.

Le secrétaire intime, dit le président, se désiste de toute poursuite à votre égard.

Il a tort, répliqua Ordener, d'une voix haute et sonore; je dois ici être seul accusé, seul jugé, et seul condamné.Il s'arrêta un moment, et ajouta d'un accent moins ferme:Car je suis seul coupable.

Seul coupable! s'écria le président.

Seul coupable! répéta le secrétaire intime.

Une nouvelle explosion de surprise se manifesta dans l'auditoire. La malheureuse Éthel frémit; elle ne songeait pas que cette déclaration de son amant sauvait son père. Elle avait devant les yeux la mort de son Ordener.

Hallebardiers, qu'on fasse silence! dit le président, profitant peutêtre du moment de rumeur pour rallier ses idées et reprendre sa présence d'esprit.Ordener Guldenlew, repritil, expliquezvous.

Le jeune homme resta, un instant rêveur, puis soupira avec effort, puis prononça ces paroles d'un ton calme et résigné:

Oui, je sais qu'une mort infâme m'attend; je sais que la vie pourrait m'être belle et glorieuse. Mais Dieu lira au fond de mon cœur! à la vérité, Dieu seul!Je vais accomplir le premier devoir de mon existence; je vais lui sacrifier mon sang, mon honneur peutêtre; mais je sens que je mourrai sans remords et sans repentir. Ne vous étonnez pas de mes paroles, seigneurs juges; il y a dans l'âme et dans la destinée humaine des mystères que vous ne pouvez pénétrer et qui ne sont jugés qu'au ciel. Écoutezmoi donc; et agissez envers moi selon vos consciences, quand vous aurez absous ces infortunés, et surtout ce déplorable Schumacker, qui a déjà, dans sa captivité, expié bien plus de crimes qu'un homme n'en peut commettre.Oui, je suis coupable, nobles juges, et seul coupable. Schumacker est innocent; ces autres malheureux ne sont qu'égarés. L'auteur de la rébellion des mineurs, c'est moi.

Vous! s'écrièrent à la fois, et avec une expression étrange, le président et le secrétaire intime.

Moi! et ne m'interrompez plus, seigneurs. Je suis pressé de terminer, car en m'accusant je justifie ces infortunés. C'est moi qui ai soulevé les mineurs au nom de Schumacker; c'est moi qui ai fait distribuer aux rebelles des bannières; qui leur ai envoyé, au nom du prisonnier de Munckholm, de l'or et des armes. Hacket était mon agent.

À ce nom de Hacket, le secrétaire intime fit un geste de stupeur. Ordener continua:

J'épargne vos moments, seigneurs. J'ai été pris dans les rangs des mineurs, que j'avais poussés à la révolte. J'ai seul tout fait. Maintenant, jugez. Si j'ai prouvé mon crime, j'ai prouvé également l'innocence de Schumacker et celle des pauvres misérables que vous croyez ses complices.

Le jeune homme parlait ainsi, les yeux levés au ciel. Éthel, presque inanimée, respirait à peine; il lui semblait seulement qu'Ordener, tout en justifiant son père, prononçait bien amèrement son nom. Les discours du jeune homme l'étonnaient et l'épouvantaient, sans qu'elle pût les comprendre. Dans tout ce qui frappait ses sens, elle ne voyait clairement que le malheur.

Un sentiment du même genre paraissait préoccuper le président. On eût dit qu'il ne pouvait croire à ce qu'il entendait de ses oreilles. Il adressa néanmoins la parole au fils du viceroi:

Si vous êtes en effet l'unique auteur de cette révolte, dans quel but l'avezvous excitée?

Je ne puis le dire.

Un frisson saisit Éthel, lorsqu'elle entendit le président répliquer d'une voix presque irritée:

N'aviezvous point une intrigue avec la fille de Schumacker?

Mais Ordener, enchaîné, avait fait un pas vers le tribunal, et s'était écrié, avec l'accent de l'indignation:

Chancelier d'Ahlefeld, contentezvous de ma vie que je vous livre; respectez une noble et innocente fille. Ne tentez pas de la déshonorer une seconde fois.

La pauvre Éthel, qui avait senti son sang remonter à son visage, ne comprit pas ce que signifiaient ces mots, une seconde fois, sur lesquels son défenseur appuyait avec énergie; mais à la colère qui se peignait sur les traits du président, on eût dit qu'il les comprenait.

Ordener Guldenlew, n'oubliez pas vousmême le respect que vous devez à la justice du roi et à ses suprêmes officiers. Je vous réprimande au nom du tribunal.À présent, je vous somme de nouveau de me déclarer dans quel but vous avez commis le crime dont vous vous accusez.

Je vous répète que je ne puis vous le dire.

N'étaitce pas, reprit le secrétaire, pour délivrer Schumacker?

Ordener garda le silence.

Ne soyez pas muet, accusé Ordener, dit le président; il est prouvé que vous entreteniez des intelligences avec Schumacker, et l'aveu de votre culpabilité accuse, plus qu'il ne justifie, le prisonnier de Munckholm. Vous alliez souvent à Munckholm, et certes vous attachiez à ces visites plus qu'un intérêt de curiosité ordinaire. Témoin cette boucle de diamants.

Le président prit sur le bureau, et montra à Ordener une boucle de brillants qui y était déposée.

La reconnaissezvous pour vous avoir appartenu?

Oui. Par quel hasard?....

Eh bien! un des rebelles l'a remise, avant d'expirer, à notre secrétaire intime, en déclarant qu'il l'avait reçue de vous en paiement, pour vous avoir transporté du port de Drontheim à la forteresse de Munckholm. Or, je vous le demande, seigneurs juges, un pareil salaire donné à un simple matelot n'annonce-til pas quelle importance l'accusé Ordener Guldenlew attachait à parvenir jusqu'à cette prison, qui est celle de Schumacker?

Ah! s'écria l'accusé Kennybol, ce que dit sa courtoisie est vrai, je reconnais la boucle; c'est l'histoire de notre pauvre frère Guldon Stayper.

Silence, dit le président, laissez répondre Ordener Guldenlew.

Je ne cacherai pas, repartit Ordener, que je désirais voir Schumacker. Mais cette boucle ne signifie rien. On ne peut entrer avec des diamants dans le fort; le matelot qui m'avait amené s'était plaint, dans la traversée, de sa misère; je lui ai jeté cette boucle, que je ne pouvais garder sur moi.

Pardon, votre courtoisie, interrompit le secrétaire intime, le règlement excepte de cette mesure le fils du viceroi. Vous pouviez donc....

Je ne voulais pas me nommer.

Pourquoi? demanda le président.

C'est ce que je ne puis dire.

Vos intelligences avec Schumacker et sa fille prouvent que le but de votre complot était de les délivrer.

Schumacker, qui, jusqu'alors, n'avait donné d'autre signe d'attention que de dédaigneux mouvements d'épaules, se leva:

Me délivrer! Le but de cette infernale trame était de me compromettre et de me perdre, comme il l'est encore. Croyez-vous qu'Ordener Guldenlew eût avoué sa participation au crime, s'il n'eût été pris parmi les révoltés? Oh! je vois qu'il a hérité de la haine de son père pour moi. Et quant aux intelligences qu'on lui suppose avec moi et ma fille, qu'il sache, cet exécré Guldenlew, que ma fille a hérité aussi de ma haine pour lui, pour la race des Guldenlew et des d'Ahlefeld!

Ordener soupira profondément, tandis qu'Éthel désavouait tout bas son père, et que celui-ci retombait sur son banc, palpitant encore de colère.

Le tribunal jugera, dit le président.

Ordener, qui, aux paroles de Schumacker, avait baissé les yeux en silence, parut se réveiller:

Oh! nobles juges, écoutez. Vous allez descendre dans vos consciences; n'oubliez pas qu'Ordener Guldenlew est coupable seul; Schumacker est innocent. Ces autres infortunés ont été trompés par Hacket, qui était mon agent. J'ai fait tout le reste.

Kennybol l'interrompit:

Sa courtoisie dit vrai, seigneurs juges; car c'est elle qui s'est chargée de nous amener le fameux Han d'Islande, dont je souhaite que le nom ne me porte pas malheur. Je sais que c'est ce jeune seigneur qui a osé l'aller trouver dans la caverne de Walderhog, pour lui proposer d'être notre chef. Il m'a confié le secret de son entreprise au hameau de Surb, chez mon frère Braall. Et, pour le reste encore, le jeune seigneur dit vrai; nous avons été abusés par ce Hacket maudit; d'où il suit que nous ne méritons pas la mort.

Seigneur secrétaire intime, dit le président, les débats sont clos. Quelles sont vos conclusions?

Le secrétaire se leva, salua plusieurs fois le tribunal, passa quelque temps la main entre les plis de son rabat de dentelle, sans quitter un moment des yeux les yeux du président. Enfin, il fit entendre ces paroles d'une voix sourde et lugubre:

Seigneur président, respectables juges! l'accusation demeure victorieuse. Ordener Guldenlew, qui ternit à jamais la splendeur de son glorieux nom, n'a réussi qu'à prouver sa culpabilité sans démontrer l'innocence de l'exchancelier Schumacker, et de ses complices Han d'Islande, Wilfrid Kennybol, Jonas et Norbith.Je demande à la justice du tribunal que les six accusés soient déclarés coupables du crime de hautetrahison et de lèsemajesté, au premier chef.

Un murmure vague s'éleva de la foule. Le président allait proclamer la formule de clôture, quand l'évêque réclama un moment d'attention.

Doctes juges, il est convenable que la défense des accusés se fasse entendre la dernière. Je souhaiterais qu'elle eût un meilleur organe; car je suis vieux et faible, et je n'ai plus en moi d'autre force que celle qui me vient de Dieu.Je m'étonne des sévères requêtes du secrétaire intime. Rien ici ne prouve le crime de mon client Schumacker. On ne peut établir contre lui aucune participation directe à l'insurrection des mineurs; et puisque mon autre client Ordener Guldenlew déclare avoir abusé du nom de Schumacker, et, de plus, être l'unique auteur de cette condamnable sédition, toutes les présomptions qui pesaient sur Schumacker s'évanouissent; vous devez donc l'absoudre. Je recommande à votre indulgence chrétienne les autres accusés, qui n'ont été qu'égarés, comme la brebis du bon pasteur; et même le jeune Ordener Guldenlew, qui a du moins le mérite, bien grand devant le Seigneur, de confesser son crime. Songez, seigneurs juges, qu'il est encore dans l'âge où l'homme peut faillir, et même tomber, sans que Dieu refuse de le soutenir ou de le relever. Ordener Guldenlew porte à peine le quart de ce fardeau de l'existence qui pèse déjà presque entier sur ma tête. Mettez dans la balance de vos jugements sa jeunesse et son inexpérience, et ne lui retirez pas si tôt cette vie que le Seigneur vient à peine de lui donner.

Le vieillard se tut et se plaça près d'Ordener, qui souriait; tandis qu'à l'invitation du président, les juges se levaient du tribunal, et passaient en silence le seuil de la formidable salle de leurs délibérations.

Pendant que quelques hommes décidaient de six destinées dans ce terrible sanctuaire, les accusés immobiles étaient restés assis sur leur banc entre deux rangs de hallebardiers. Schumacker, la tête sur sa poitrine, paraissait endormi dans une rêverie profonde; le géant promenait à droite et à gauche des regards où se peignait une assurance stupide; Jonas et Kennybol, les mains jointes, priaient à voix basse, tandis que leur camarade Norbith frappait par intervalles la terre du pied, ou secouait ses chaînes avec des tressaillements convulsifs. Entre lui et le vénérable évêque, qui lisait les psaumes de la pénitence, se tenait Ordener, les bras croisés et les yeux levés au ciel.

Derrière eux on entendait le bruit de la foule, qui avait impétueusement éclaté à la sortie des juges. C'était le fameux captif de Munckholm, c'était le redoutable démon d'Islande, c'était surtout le fils du viceroi, qui occupaient toutes les pensées, toutes les paroles, tous les regards. La rumeur, mêlée de plaintes, de rires et de cris confus, qui s'échappait de l'auditoire, s'abaissait et s'élevait comme une flamme qui ondoie sous le vent.

Ainsi se passèrent plusieurs heures d'attente, si longues que chacun s'étonnait qu'elles fussent contenues dans la même nuit. De temps en temps on jetait un regard vers la porte de la chambre des délibérations; mais on n'y voyait rien, que les deux soldats qui se promenaient avec leurs pertuisanes étincelantes devant le seuil fatal, comme deux fantômes muets.

Enfin, les torches et les lampes commençaient à pâlir, et quelques rayons blancs de l'aube traversaient les vitraux étroits de la salle, quand la porte redoutable s'ouvrit. Un silence profond remplaça surlechamp, comme par magie, tout le tumulte du peuple, et l'on n'entendit plus que le bruit des respirations pressées et le mouvement vague et sourd de la foule en suspens.

Les juges, sortant à pas lents de la chambre des délibérations, reprirent place au tribunal, le président à leur tête.

Le secrétaire intime, qui avait paru absorbé dans ses réflexions pendant leur absence, s'inclina:

Seigneur président, quel est l'arrêt que le tribunal, jugeant sans appel, a rendu au nom du roi? Nous sommes prêts à l'entendre avec un respect religieux. Le juge placé à droite du président se leva, tenant un parchemin dans ses mains:

Sa grâce, notre glorieux président, fatigué par la longueur de cette audience, daigne nous charger, nous, hautsyndic du Drontheimhus, président naturel de ce tribunal respectable, de lire à sa place la sentence rendue au nom du roi. Nous allons remplir ce devoir honorable et pénible, rappelant à l'auditoire de se taire devant l'infaillible justice du roi.

Alors la voix du hautsyndic prit une inflexion solennelle et grave, et tous les cœurs palpitèrent.

Au nom de notre vénéré maître et légitime seigneur Christiern, roi!voici l'arrêt que nous, juges du haut tribunal du Drontheimhus, nous rendons dans nos consciences, touchant Jean Schumacker, prisonnier d'État; Wilfrid Kennybol, habitant des montagnes de Kole; Jonas, mineur royal; Norbith, mineur royal; Han, de Klipstadur, en Islande; et Ordener Guldenlew, baron de Thorvick, chevalier de Dannebrog; tous accusés des crimes de haute trahison et de lèsemajesté au premier chef; Han d'Islande étant de plus prévenu des crimes d'assassinat, d'incendie et de brigandage.

1° Jean Schumacker n'est point coupable;

2° Wilfrid Kennybol, Jonas et Norbith sont coupables; mais le tribunal les excuse, parce qu'ils ont été égarés;

3° Han d'Islande est coupable de tous les crimes qu'on lui impute;

4° Ordener Guldenlew est coupable de haute trahison et de lèsemajesté au premier chef.» Le juge s'arrêta un moment comme pour prendre haleine. Ordener attachait sur lui un regard plein d'une joie céleste.

Jean Schumacker, continua le juge, le tribunal vous absout et vous renvoie dans votre prison.

Kennybol, Jonas et Norbith, le tribunal réduit la peine que vous avez encourue à une détention perpétuelle et à l'amende de mille écus royaux chacun.

Han, de Klipstadur, assassin et incendiaire, vous serez ce soir conduit sur la place d'armes de Munckholm, et pendu par le cou jusqu'à ce que mort s'ensuive.

Ordener Guldenlew, traître, après avoir été dégradé de vos titres devant ce tribunal, vous serez conduit ce soir au même lieu, avec un flambeau à la main, pour y avoir la tête tranchée, le corps brûlé, et pour que vos cendres soient jetées au vent et votre tête exposée sur la claie.

Retirezvous tous. Tel est l'arrêt rendu par la justice du roi.

À peine le hautsyndic avaitil achevé cette funèbre lecture, qu'on entendit dans la salle un cri. Ce cri glaça les assistants plus même que l'effrayant appareil de la sentence de mort; ce cri fit pâlir un moment le front serein et radieux d'Ordener condamné.

IV

C'était le malheur qui les rendait égaux.

CHARLES NODIER

C'en est donc fait; tout va s'accomplir, ou plutôt tout est déjà accompli. Il a sauvé le père de celle qu'il aimait, il l'a sauvée ellemême, en lui conservant l'appui paternel. La noble conspiration du jeune homme pour la vie de Schumacker a réussi; maintenant le reste n'est rien; il n'a plus qu'à mourir.

Que ceux qui l'ont cru coupable ou insensé le jugent maintenant, ce généreux Ordener, comme il se juge luimême dans son âme avec un saint ravissement. Car ce fut toujours sa pensée, en entrant dans les rangs des rebelles, que, s'il ne pouvait empêcher l'exécution du crime de Schumacker, il pourrait du moins en empêcher le châtiment, en l'appelant sur sa propre tête.

Hélas! s'étaitil dit, sans doute Schumacker est coupable; mais, aigri par sa captivité et son malheur, son crime est pardonnable. Il ne veut que sa délivrance; il la tente, même par la rébellion. D'ailleurs, que deviendra mon Éthel si on lui enlève son père; si elle le perd par l'échafaud, si un nouvel opprobre vient flétrir sa vie, que deviendratelle, sans soutien, sans secours, seule dans son cachot, ou errante dans un monde d'ennemis? Cette pensée l'avait déterminé à son sacrifice, et il s'y était préparé avec joie; car le plus grand bonheur d'un être qui aime est d'immoler son existence, je ne dis pas à l'existence, mais à un sourire, à une larme de l'être aimé.

Il a donc été pris parmi les rebelles, il a été traîné devant les juges qui devaient condamner Schumacker, il a commis son généreux mensonge, il a été condamné, il va mourir d'une mort cruelle, d'un supplice ignomineux, il va laisser une mémoire souillée; mais que lui importe au noble jeune homme? il a sauvé le père de son Éthel.

Il est maintenant assis sur ses chaînes dans un cachot humide, où la lumière et l'air ne pénètrent qu'à peine par de sombres soupiraux; près de lui est la nourriture du reste de son existence, un pain noir, une cruche pleine d'eau. Un collier de fer pèse sur son cou, des bracelets, des carcans de fer pressent ses mains et ses pieds. Chaque heure qui s'écoule lui emporte plus de vie qu'une année n'en enlève aux autres mortels. Il rêve délicieusement.

Peutêtre mon souvenir ne périratil pas avec moi, du moins dans un des cœurs qui battent parmi les hommes! peutêtre daigneratelle me donner une larme pour mon sang! peutêtre consacreratelle quelquefois un regret à celui qui lui a dévoué sa vie! peutêtre, dans ses rêveries virginales, auratelle parfois présente la confuse image de son ami! Qui sait d'ailleurs ce qui est derrière la mort? Qui sait si les âmes délivrées de leur prison matérielle ne peuvent pas quelquefois revenir veiller sur les âmes qu'elles aiment, commercer mystérieusement avec ces douces compagnes encore captives, et leur apporter en secret quelque vertu des anges et quelque joie du ciel?

Toutefois des idées amères se mêlaient à ces consolantes méditations. La haine que Schumacker lui avait témoignée au moment même de son sacrifice oppressait son cœur. Le cri déchirant qu'il avait entendu en même temps que son arrêt de mort l'avait ébranlé profondément; car, seul dans l'auditoire, il avait reconnu cette voix et compris cette douleur. Et puis, ne la reverratil donc plus, son Éthel? ses derniers moments se passerontils dans la prison même qui la renferme, sans qu'il puisse encore une fois toucher la douce main, entendre la douce voix de celle pour qui il va mourir?

Il abandonnait ainsi son âme à cette vague et triste rêverie, qui est à la pensée ce que le sommeil est à la vie, quand le cri rauque des vieux verrous rouillés heurta rudement son oreille, déjà en quelque sorte attentive aux concerts de l'autre sphère où il allait s'envoler.C'était la lourde porte de fer de son cachot, qui s'ouvrait en grondant sur ses gonds. Le jeune condamné se leva tranquille et presque joyeux, car il pensa que c'était le bourreau qui venait le chercher, et il avait déjà dépouillé l'existence comme le manteau qu'il foulait à ses pieds.

Il fut trompé dans son attente; une figure blanche et svelte venait d'apparaître au seuil de son cachot, pareille à une vision lumineuse. Ordener douta de ses yeux, et se demanda s'il n'était pas déjà dans le ciel. C'était elle, c'était son Éthel.

La jeune fille était tombée dans ses bras enchaînés; elle couvrait les mains d'Ordener de larmes, qu'essuyaient les longues tresses noires de ses cheveux épars; baisant les fers du condamné, elle meurtrissait ses lèvres pures sur les infâmes carcans; elle ne parlait pas, mais tout son cœur semblait prêt à s'échapper dans la première parole qui passerait à travers ses sanglots.

Lui, il éprouvait la joie la plus céleste qu'il eût éprouvée depuis sa naissance. Il serrait doucement son Éthel sur sa poitrine, et les forces réunies de la terre et de l'enfer n'eussent pu en ce moment dénouer les deux bras dont il l'environnait. Le sentiment de sa mort prochaine mêlait quelque chose de solennel à son ravissement, et il s'emparait de son Éthel comme s'il en eût déjà pris possession pour l'éternité.

Il ne demanda pas à cet ange comment elle avait pu pénétrer jusqu'à lui. Elle était là, pouvaitil penser à autre chose? D'ailleurs il ne s'en étonnait pas. Il ne se demandait pas comment cette jeune fille proscrite, faible, isolée, avait pu, malgré les triples portes de fer, et les triples rangs de soldats, ouvrir sa propre prison et celle de son amant; cela lui semblait simple; il portait en lui la conscience intime de ce que peut l'amour.

À quoi bon se parler avec la voix quand on se peut parler avec l'âme? Pourquoi ne pas laisser les corps écouter en silence le langage mystérieux des intelligences?Tous deux se taisaient, parce qu'il y a des émotions qu'on ne saurait exprimer qu'en se taisant.

Cependant la jeune fille souleva enfin sa tête appuyée sur le cœur tumultueux du jeune homme.

Ordener, ditelle, je viens te sauver; et elle prononça cette parole d'espérance avec une angoisse douloureuse.

Ordener secoua la tête en souriant.

Me sauver, Éthel! tu t'abuses; la fuite est impossible.

Hélas! je le sais trop. Ce château est peuplé de soldats, et toutes les portes qu'il faut traverser pour arriver ici sont gardées par des archers et des geôliers qui ne dorment pas.Elle ajouta avec effort: Mais je t'apporte un autre moyen de salut.

Va, ton espérance est vaine. Ne te berce pas de chimères, Éthel; dans quelques heures un coup de hache les dissiperait trop cruellement.

Oh! n'achève pas! Ordener! tu ne mourras pas. Oh! dérobemoi cette affreuse pensée, ou plutôt, oui, présentelamoi dans toute son horreur, pour me donner la force d'accomplir ton salut et mon sacrifice.

Il y avait dans l'accent de la jeune fille une expression indéfinissable, Ordener la regarda doucement:

Ton sacrifice! que veuxtu dire?

Elle cacha son visage dans ses mains, et sanglota en disant d'une voix inarticulée:O Dieu!

Cet abattement fut de courte durée; elle se releva; ses yeux brillaient, sa bouche souriait. Elle était belle comme un ange qui remonte de l'enfer au ciel.

Écoutez, mon Ordener, votre échafaud ne s'élèvera pas. Pour que vous viviez, il suffit que vous promettiez d'épouser Ulrique d'Ahlefeld.

Ulrique d'Ahlefeld! ce nom dans ta bouche, mon Éthel!

Ne m'interrompez pas, poursuivitelle avec le calme d'une martyre qui subit sa dernière torture; je viens ici envoyée par la comtesse d'Ahlefeld. On vous promet d'obtenir votre grâce du roi, si l'on obtient en échange votre main pour la fille du grandchancelier. Je viens ici vous demander le serment d'épouser Ulrique et de vivre pour elle. On m'a choisie pour messagère, parce qu'on a pensé que ma voix aurait quelque puissance sur vous.

Éthel, dit le condamné d'une voix glacée, adieu; en sortant de ce cachot, dites qu'on fasse venir le bourreau.

Elle se leva, resta un moment devant lui debout, pâle et tremblante; puis ses genoux fléchirent, elle tomba à genoux sur la pierre en joignant les mains.

Que lui aije fait? murmuratelle d'une voix éteinte.

Ordener, muet, fixait son regard sur la pierre.

Seigneur, ditelle, se traînant à genoux jusqu'à lui, vous ne me répondez pas? Vous ne voulez donc plus me parler?Il ne me reste plus qu'à mourir.

Une larme roula dans les yeux du jeune homme.

Éthel, vous ne m'aimez plus.

O Dieu! s'écria la pauvre jeune fille, serrant dans ses bras les genoux du prisonnier, je ne l'aime plus! Tu dis que je ne t'aime plus, mon Ordener. Estil bien vrai que tu as pu dire cela?

Vous ne m'aimez plus, puisque vous me méprisez.

Il se repentit à l'instant même d'avoir prononcé cette parole cruelle; car l'accent d'Éthel fut déchirant, quand elle jeta ses bras adorés autour de son cou, en criant d'une voix étouffée par les larmes:

Pardonnemoi, mon bienaimé Ordener, pardonnemoi comme je te pardonne. Moi! te mépriser, grand Dieu! n'estu pas mon bien, mon orgueil, mon idolâtrie?Dismoi, estce qu'il y avait dans mes paroles autre chose qu'un profond amour, qu'une brûlante admiration pour toi? Hélas! ton langage sévère m'a fait bien du mal, quand je venais pour te sauver, mon Ordener adoré, en immolant tout mon être au tien.

Eh bien, répondit le jeune homme radouci en essuyant les pleurs d'Éthel avec des baisers, n'étaitce pas me montrer peu d'estime que de me proposer de racheter ma vie par l'abandon de mon Éthel, par un lâche oubli de mes serments, par le sacrifice de mon amour?Il ajouta, l'œil fixé sur Éthel:De mon amour, pour lequel je verse aujourd'hui tout mon sang. Un long gémissement précéda la réponse d'Éthel.

Écoutemoi encore, mon Ordener, ne m'accuse pas si vite. J'ai peutêtre plus de force qu'il n'appartient d'ordinaire à une pauvre femme.Du haut de notre donjon on voit construire, dans la place d'Armes l'échafaud qui t'est destiné. Ordener! tu ne connais pas cette affreuse douleur de voir lentement se préparer la mort de celui qui porte avec lui notre vie! La comtesse d'Ahlefeld, près de laquelle j'étais quand j'ai entendu prononcer ton arrêt funèbre, est venue me trouver au donjon, où j'étais rentrée avec mon père. Elle m'a demandé si je voulais te sauver, elle m'a offert cet odieux moyen; mon Ordener, il fallait détruire ma pauvre destinée, renoncer à toi, te perdre pour jamais, donner à une autre cet Ordener, toute la félicité de la délaissée Éthel, ou te livrer au supplice; on me laissait le choix entre mon malheur et ta mort; je n'ai pas balancé.

Il baisa avec respect la main de cet ange.

Je ne balance pas non plus, Éthel. Tu ne serais pas venue m'offrir la vie avec la main d'Ulrique d'Ahlefeld si tu avais su comment il se fait que je meurs.

Quoi? Quel mystère?....

Permetsmoi d'avoir un secret pour toi, mon Éthel bienaimée. Je veux mourir sans que tu saches si tu me dois de la reconnaissance ou de la haine pour ma mort.

Tu veux mourir! Tu veux donc mourir! O Dieu! et cela est vrai, et l'échafaud se dresse en ce moment, et aucune puissance humaine ne peut délivrer mon Ordener qu'on va tuer! Dismoi, jette un regard sur ton esclave, sur ta compagne, et prometsmoi, bienaimé Ordener, de m'entendre sans colère. Estu bien sûr, réponds à ton Éthel comme à Dieu, que tu ne pourrais mener une vie heureuse auprès de cette femme, de cette Ulrique d'Ahlefeld? en estu bien sûr, Ordener? Elle est peutêtre, sans doute même, belle, douce, vertueuse; elle vaut mieux que celle pour qui tu péris.Ne détourne pas la tête, cher ami, mon Ordener. Tu es si noble et si jeune pour monter sur un échafaud! Eh bien! tu irais vivre avec elle dans quelque brillante ville où tu ne penserais plus à ce funeste donjon; tu laisserais couler paisiblement tes jours sans t'informer de moi; j'y consens, tu me chasserais de ton cœur, même de ton souvenir, Ordener. Mais vis, laissemoi ici seule, c'est à moi de mourir. Et, croismoi, quand je te saurai dans les bras d'une autre, tu n'auras pas besoin de t'inquiéter de moi; je ne souffrirai pas longtemps.

Elle s'arrêta; sa voix se perdait dans les larmes. Cependant on lisait dans son regard désolé le désir douloureux de remporter la victoire fatale dont elle devait mourir.

Ordener lui dit:

Éthel, ne me parle plus de cela. Qu'il ne sorte en ce moment de nos bouches d'autres noms que le tien et le mien.

Ainsi, repritelle, hélas! hélas! tu veux donc mourir?

Il le faut. J'irai avec joie à l'échafaud pour toi; j'irais avec horreur à l'autel pour toute autre femme. Ne m'en parle plus; tu m'affliges et tu m'offenses.

Elle pleurait en murmurant toujours:Il va mourir, ô Dieu! et d'une mort infâme!

Le condamné répondit avec un sourire:

Croismoi, Éthel, il y a moins de déshonneur dans ma mort que dans la vie telle que tu me la proposes.

En ce moment, son regard, se détachant de son Éthel éplorée, aperçut un vieillard vêtu d'habits ecclésiastiques, qui se tenait debout dans l'ombre, sous la voûte basse de la porte:

Que voulezvous? ditil brusquement.

Seigneur, je suis venu avec l'envoyée de la comtesse d'Ahlefeld. Vous ne m'avez point aperçu, et j'attendais en silence que vos yeux tombassent sur moi.

En effet, Ordener n'avait vu que son Éthel, et celleci, voyant Ordener, avait oublié son compagnon.

Je suis, continua le vieillard, le ministre chargé....

J'entends, dit le jeune homme. Je suis prêt.

Le ministre s'avança vers lui.

Dieu est prêt aussi à vous recevoir, mon fils.

Seigneur ministre, reprit Ordener, votre visage ne m'est pas inconnu. Je vous ai vu quelque part. Le ministre s'inclina.

Je vous reconnais aussi, mon fils. C'était dans la tour de Vygla. Nous avons tous deux montré ce jourlà combien les paroles humaines ont peu de certitude. Vous m'avez promis la grâce de douze malheureux condamnés, et moi je n'ai point cru en votre promesse, ne pouvant deviner que vous fussiez ce que vous êtes, le fils du viceroi; et vous, seigneur, qui comptiez sur votre puissance et sur votre rang, en me donnant cette assurance....

Ordener acheva la pensée qu'Athanase Munder n'osait compléter.

Je ne puis aujourd'hui obtenir aucune grâce, pas même la mienne; vous avez raison, seigneur ministre. Je respectais trop peu l'avenir; il m'en a puni, en me montrant sa puissance supérieure à la mienne.

Le ministre baissa la tête.

Dieu est fort, ditil.

Puis il releva ses yeux bienveillants sur Ordener en ajoutant:

Dieu est bon.

Ordener, qui paraissait préoccupé, s'écria, après un court silence:

Écoutez, seigneur ministre, je veux tenir la promesse que je vous ai faite dans la tour de Vygla. Quand je serai mort, allez trouver à Berghen mon père, le viceroi de Norvège, et diteslui que la dernière grâce que lui demande son fils, c'est celle de vos douze protégés. Il vous l'accordera, j'en suis sûr.

Une larme d'attendrissement mouilla le visage vénérable d'Athanase.

Mon fils, il faut que de nobles pensées remplissent votre âme, pour savoir, dans la même heure, rejeter avec courage votre propre grâce et solliciter avec bonté celle des autres. Car j'ai entendu vos refus; et, tout en blâmant le dangereux excès d'une passion humaine, j'en ai été profondément touché. Maintenant je me dis: Unde scelus? Comment se faitil qu'un homme qui approche tant du vrai juste se soit souillé du crime pour lequel il est condamné?

Mon père, je ne l'ai point dit à cet ange, je ne puis vous le dire. Croyez seulement que la cause de ma condamnation n'est point un crime.

Comment? expliquezvous, mon fils.

Ne me pressez pas, répondit le jeune homme avec fermeté. Laissezmoi emporter dans le tombeau le secret de ma mort.

Ce jeune homme ne peut être coupable, murmura le ministre.

Alors il tira de son sein un crucifix noir, qu'il plaça sur une sorte d'autel grossièrement formé d'une dalle de granit adossée au mur humide de la prison. Près du crucifix il posa une petite lampe de fer allumée, qu'il avait apportée avec lui, et une bible ouverte.

Mon fils, priez et méditez. Je reviendrai dans quelques heures.Allons, ajoutatil, se tournant vers Éthel, qui, pendant tout l'entretien d'Ordener et d'Athanase, avait gardé le silence du recueillement, il faut quitter le prisonnier. Le temps s'écoule.

Elle se leva radieuse et tranquille; quelque chose de divin enflammait son regard:

Seigneur ministre, je ne puis vous suivre encore. Il faut auparavant que vous ayez uni Éthel Schumacker à son époux Ordener Guldenlew.

Elle regarda Ordener:

Si tu étais encore puissant, libre et glorieux, mon Ordener, je pleurerais et j'éloignerais ma fatale destinée de la tienne.Mais maintenant que tu ne crains plus la contagion de mon malheur, que tu es ainsi que moi captif, flétri, opprimé, maintenant que tu vas mourir, je viens à toi, espérant que tu daigneras du moins, Ordener, mon seigneur, permettre à celle qui n'aurait pu être la compagne de ta vie, d'être la compagne de ta mort; car tu m'aimes assez, n'estil pas vrai, pour n'avoir pas douté un instant que je n'expire en même temps que toi?

Le condamné tomba à ses pieds et baisa le bas de sa robe.

Vous, vieillard, continuatelle, vous allez nous tenir lieu de familles et de pères; ce cachot sera le temple; cette pierre, l'autel. Voici mon anneau, nous sommes à genoux devant Dieu et devant vous. Bénisseznous et lisez les paroles saintes qui vont unir Éthel Schumacker à Ordener Guldenlew, son seigneur.

Et ils s'étaient agenouillés ensemble devant le prêtre, qui les contemplait avec un étonnement mêlé de pitié.

Comment, mes enfants! que faitesvous?

Mon père, dit la jeune fille, le temps presse. Dieu et la mort nous attendent.

On rencontre quelquefois dans la vie des puissances irrésistibles, des volontés auxquelles on cède soudain comme si elles avaient quelque chose de plus que les volontés humaines. Le prêtre leva les yeux en soupirant.

Que le Seigneur me pardonne si ma condescendance est coupable! Vous vous aimez, vous n'avez plus que bien peu de temps à vous aimer sur la terre; je ne crois pas manquer à nos saints devoirs en légitimant votre amour.

La douce et redoutable cérémonie s'accomplit. Ils se levèrent tous deux sous la dernière bénédiction du prêtre; ils étaient époux.

Le visage du condamné brillait d'une douloureuse joie; on eût dit qu'il commençait à sentir l'amertume de la mort, à présent qu'il essayait la félicité de la vie. Les traits de sa compagne étaient sublimes de grandeur et de simplicité; elle était encore modeste comme une jeune vierge, et déjà presque fière comme une jeune épouse.

Écoute-moi, mon Ordener, dit-elle; n'est-il pas vrai que nous sommes maintenant heureux de mourir, puisque la vie ne pouvait nous réunir? Tu ne sais pas, ami, ce que je ferai, je me placerai aux fenêtres du donjon de manière à te voir monter sur l'échafaud, afin que nos âmes s'envolent ensemble dans le ciel. Si j'expire avant que la hache ne tombe, je t'attendrai; car nous sommes époux, mon Ordener adoré, et ce soir le cercueil sera notre lit nuptial.

Il la pressa sur son cœur gonflé et ne put prononcer que ces mots, qui étaient l'idée de toute son existence:

Éthel, tu es donc à moi!

Mes enfants, dit la voix attendrie de l'aumônier, dites-vous adieu. Il est temps.

Hélas! s'écria Éthel.

Toute sa force d'ange lui revint, et elle se prosterna devant le condamné:

Adieu! mon Ordener bien-aimé; mon seigneur, donnez-moi votre bénédiction.

Le prisonnier accomplit ce vœu touchant, puis il se retourna pour saluer le vénérable Athanase Munder. Le vieillard était également agenouillé devant lui.

Qu'attendez-vous, mon père? demanda-t-il surpris.

Le vieillard le regarda d'un air humble et doux:

Votre bénédiction, mon fils.

Que le ciel vous bénisse et appelle sur vous toutes les félicités que vos prières appellent sur vos frères les autres hommes, répondit Ordener d'un accent ému et solennel.

Bientôt la voûte sépulcrale entendit les derniers adieux et les derniers baisers; bientôt les durs verrous se refermèrent bruyamment, et la porte de fer sépara les deux jeunes époux, qui allaient mourir après s'être donné rendez-vous dans l'éternité.

V

À qui me livrera Louis Perez, mort ou vif,

Je lui donne deux mille écus.

CALDERON. Louis Perez de Galice

Baron Voethaün, colonel des arquebusiers de Munckholm, quel est celui des soldats qui ont combattu sous vos ordres au PilierNoir, qui a fait Han d'Islande prisonnier? Nommezle au tribunal, afin qu'il reçoive les mille écus royaux promis pour cette capture.

Ainsi parle au colonel des arquebusiers le président du tribunal. Le tribunal est assemblé; car, selon l'usage ancien de Norvège, les juges qui prononcent sans appel doivent rester sur leurs sièges jusqu'à ce que l'arrêt qu'ils ont rendu soit exécuté. Devant eux est le géant, qu'on vient de ramener, portant à son cou la corde qui doit le porter à son tour dans quelques heures.

Le colonel, assis près de la table du secrétaire intime, se lève. Il salue le tribunal et l'évêque, qui est remonté sur son trône.

Seigneurs juges, le soldat qui a pris Han d'Islande est dans cette enceinte. Il se nomme Toric Belfast, second arquebusier de mon régiment.

Qu'il vienne donc, reprend le président, recevoir la récompense promise.

Un jeune soldat, en uniforme d'arquebusier de Munckholm, se présente.

Vous êtes Toric Belfast? demande le président.

Oui, votre grâce.

C'est vous qui avez fait Han d'Islande prisonnier?

Oui, avec l'aide de saint Belzébuth, s'il plaît à votre excellence.

On apporte sur le tribunal un sac pesant.

Vous reconnaissez bien cet homme pour le fameux Han d'Islande? ajoute le président, montrant le géant enchaîné.

Je connaissais mieux le minois de la jolie Cattie que celui de Han d'Islande; mais j'affirme, par la gloire de saint Belphégor, que, si Han d'Islande est quelque part, c'est sous la forme de ce grand démon.

Approchez, Toric Belfast, reprit le président. Voici les mille écus promis par le hautsyndic.

Le soldat s'avançait précipitamment vers le tribunal, quand une voix s'éleva dans la foule:

Arquebusier de Munckholm, ce n'est pas toi qui as pris Han d'Islande!

Par tous les bienheureux diables, s'écria le soldat en se retournant, je n'ai en propriété que ma pipe et la minute où je parle, mais je promets de donner dix mille écus d'or à celui qui vient de dire cela, s'il peut prouver ce qu'il a dit.

Et, croisant les deux bras, il promenait un regard assuré sur l'auditoire.

Eh bien! que celui qui vient de parler se montre donc!

C'est moi! dit un petit homme qui fendait la presse pour pénétrer dans l'enceinte.

Ce nouveau personnage était enveloppé d'une natte de jonc et de poil de veau marin, vêtement des Groënlandais, qui tombait autour de lui comme le toit conique d'une hutte. Sa barbe était noire, et d'épais cheveux de même couleur, couvrant ses sourcils roux, cachaient son visage, dont tout ce qu'on distinguait était hideux. On ne voyait ni ses bras ni ses mains.

Ah! c'est toi? dit le soldat avec un éclat de rire. Et qui donc, selon toi, mon beau sire, a eu l'honneur de prendre ce diabolique géant?

Le petit homme secoua la tête et dit avec une sorte de sourire malicieux:

C'est moi!

En ce moment, le baron Voethaün crut reconnaître en cet homme singulier l'être mystérieux qui lui avait donné à Skongen l'avis de l'arrivée des rebelles; le chancelier d'Ahlefeld, l'hôte de la ruine d'Arbar; et le secrétaire intime, un certain paysan d'Oëlmoe, qui portait une natte pareille et lui avait si bien indiqué la retraite de Han d'Islande. Mais, séparés tous trois, ils ne purent se communiquer leur impression fugitive, que les différences de costume et de traits qu'ils remarquèrent ensuite eurent bientôt effacée.

Vraiment, c'est toi! répondit le soldat ironiquement.Sans ton costume de phoque du Groënland, au regard que tu me lances, je serais tenté de reconnaître en toi un autre nain grotesque, qui m'a de même cherché querelle dans le Spladgest, il y a environ quinze jours;c'était le jour où on apporta le cadavre du mineur Gill Stadt.

Gill Stadt! interrompit le petit homme en tressaillant.

Oui, Gill Stadt, affirma le soldat avec indifférence, l'amoureux rebuté d'une fille qui était la maîtresse d'un de nos camarades, et pour laquelle il est mort comme un sot.

Le petit homme dit sourdement:

N'y avaitil pas aussi au Spladgest le corps d'un officier de ton régiment?

Précisément, je me rappellerai toute ma vie ce jourlà; j'ai oublié l'heure de la retraite dans le Spladgest, et j'ai failli être dégradé en rentrant au fort. Cet officier, c'était le capitaine Dispolsen.

À ce nom le secrétaire intime se leva.

Ces deux individus abusent de la patience du tribunal. Nous prions le seigneur président d'abréger cet entretien inutile.

Par l'honneur de ma Cattie, je ne demande pas mieux, dit Toric Belfast, pourvu que vos courtoisies m'adjugent les mille écus promis pour la tête de Han, car c'est moi qui l'ai fait prisonnier.

Tu mens! s'écria le petit homme.

Le soldat chercha son sabre à son côté.

Tu es bien heureux, drôle, que nous soyons devant la justice, en présence de laquelle un soldat, fûtil arquebusier de Munckholm, doit se tenir désarmé comme un vieux coq.

C'est à moi, dit froidement le petit homme, qu'appartient le salaire, car sans moi on n'aurait pas la tête de Han d'Islande.

Le soldat furieux jura que c'était lui qui avait pris Han d'Islande lorsque, tombé sur le champ de bataille, il commençait à rouvrir les yeux.

Eh bien, dit son adversaire, il se peut que ce soit toi qui l'aies pris, mais c'est moi qui l'ai terrassé; sans moi tu n'aurais pu l'emmener prisonnier; donc les mille écus m'appartiennent.

Cela est faux, répliqua le soldat, ce n'est pas toi qui l'as terrassé, c'est un esprit vêtu de peaux de bêtes.

C'est moi!

Non, non.

Le président ordonna aux deux parties de se taire; puis, demandant de nouveau au colonel Voethaün si c'était bien Toric Belfast qui lui avait amené Han d'Islande prisonnier, sur la réponse affirmative, il déclara que la récompense appartenait au soldat.

Le petit homme grinça des dents, et l'arquebusier étendit avidement les mains pour recevoir le sac.

Un instant! cria le petit homme.Sire président, cette somme, d'après l'édit du hautsyndic, n'appartient qu'à celui qui livrera Han d'Islande.

Eh bien? dirent les juges.

Le petit homme se tourna vers le géant:

Cet homme n'est pas Han d'Islande.

Un murmure d'étonnement parcourut la salle. Le président et le secrétaire intime s'agitaient sur leurs sièges.

Non, répéta avec force le petit homme, l'argent n'appartient pas à l'arquebusier maudit de Munckholm, car cet homme n'est point Han d'Islande.

Hallebardiers, dit le président, qu'on emmène ce furieux, il a perdu la raison.

L'évêque éleva la voix:

Me permette le respectable président de lui faire observer qu'on peut, en refusant d'entendre cet homme, briser la planche du salut sous les pieds du condamné ici présent. Je demande au contraire que la confrontation continue.

Révérend évêque, le tribunal va vous satisfaire, répondit le président; et s'adressant au géant:Vous avez déclaré être Han d'Islande; confirmezvous devant la mort votre déclaration?

Le condamné répondit:Je la confirme, je suis Han d'Islande.

Vous entendez, seigneur évêque?

Le petit homme criait en même temps que le président:

Tu mens, montagnard de Kole! tu mens! Ne t'obstine pas à porter un nom qui t'écrase; souvienstoi qu'il t'a déjà été funeste.

Je suis Han, de Klipstadur, en Islande, répéta le géant, l'œil fixé sur le secrétaire intime.

Le petit homme s'approcha du soldat de Munckholm, qui, comme l'auditoire, observait cette scène avec curiosité.

Montagnard de Kole, on dit que Han d'Islande boit du sang humain. Si tu l'es, boisen.En voici.

Et à peine ces paroles étaientelles prononcées, qu'écartant son manteau de natte, il avait plongé un poignard dans le cœur de l'arquebusier, et jeté le cadavre aux pieds du géant.

Un cri d'effroi et d'horreur s'éleva; les soldats qui gardaient le géant reculèrent. Le petit homme, prompt comme le tonnerre, s'élança sur le montagnard découvert, et d'un nouveau coup de poignard il le fit tomber sur le corps du soldat. Alors, dépouillant sa natte de jonc, sa fausse chevelure et sa barbe noire, il dévoila ses membres nerveux, hideusement revêtus de peaux de bêtes, et un visage qui répandit plus d'horreur encore parmi les assistants que le poignard sanglant dont il élevait le fer dégouttant de deux meurtres.

Hé! juges, où est Han d'Islande?

Gardes, qu'on saisisse ce monstre! cria le président épouvanté.

Han jeta dans la salle son poignard.

Il m'est inutile, s'il n'y a plus ici de soldats de Munckholm. En parlant ainsi, il se livra sans résistance aux hallebardiers et aux archers qui l'entouraient, se préparant à l'assiéger comme une ville. On enchaîna le monstre sur le banc des accusés, et une litière emporta ses deux victimes, dont l'une, le montagnard, respirait encore.

Il est impossible de peindre les divers mouvements de terreur, d'étonnement et d'indignation qui, pendant cette scène horrible, avaient agité le peuple, les gardes et les juges. Quand le brigand eut pris place, calme et impassible, sur le banc fatal, le sentiment de la curiosité imposa silence à toute autre impression, et l'attention rétablit la tranquillité.

L'évêque vénérable se leva:

Seigneurs juges.... ditil.

Le brigand l'interrompit:

Évêque de Drontheim, je suis Han d'Islande; ne prends pas la peine de me défendre.

Le secrétaire intime se leva.

Noble président....

Le monstre lui coupa la parole:

Secrétaire intime, je suis Han d'Islande; ne prends pas le soin de m'accuser.

Alors, les pieds dans le sang, il promena son œil farouche et hardi sur le tribunal, les archers et la foule, et l'on eût dit que tous ces hommes palpitaient d'épouvante sous le regard de cet homme désarmé, seul et enchaîné.

Écoutez, juges, n'attendez pas de moi de longues paroles. Je suis le démon de Klipstadur. Ma mère est cette vieille Islande, l'île des volcans. Elle ne formait autrefois qu'une montagne, mais elle a été écrasée par la main d'un géant qui s'appuya sur sa cime en tombant du ciel. Je n'ai pas besoin de vous parler de moi; je suis le descendant d'Ingolphe l'Exterminateur, et je porte en moi son esprit. J'ai commis plus de meurtres et allumé plus d'incendies que vous n'avez à vous tous prononcé d'arrêts iniques dans votre vie. J'ai des secrets communs avec le chancelier d'Ahlefeld. Je boirais tout le sang qui coule dans vos veines avec délices. Ma nature est de haïr les hommes, ma mission de leur nuire. Colonel des arquebusiers de Munckholm, c'est moi qui t'ai donné avis du passage des mineurs au PilierNoir, certain que tu tuerais un grand nombre d'hommes dans ces gorges; c'est moi qui ai écrasé un bataillon de ton régiment avec des quartiers de rochers; je vengeais mon fils. Maintenant, juges, mon fils est mort; je viens ici chercher la mort. L'âme d'Ingolphe me pèse, parce que je la porte seul et que je ne pourrai la transmettre à aucun héritier. Je suis las de la vie, puisqu'elle ne peut plus être l'exemple et la leçon d'un successeur. J'ai assez bu de sang; je n'ai plus soif. À présent, me voici; vous pouvez boire le mien.

Il se tut, et toutes les voix répétèrent sourdement chacune de ses effroyables paroles.

L'évêque lui dit:

Mon fils, dans quelle intention avezvous donc commis tant de crimes?

Le brigand se mit à rire.

Ma foi, je te jure, révérend évêque, que ce n'était pas, comme ton confrère l'évêque de Borglum, dans l'intention de m'enrichir. [Note: Quelques chroniqueurs affirment qu'en 1525 un évêque de Borglum se rendit fameux par divers brigandages. Il soudoyait des pirates, disentils, qui infestaient les côtes de Norvège.] Quelque chose était en moi, qui me poussait.

Dieu ne réside pas toujours dans tous ses ministres, répondit humblement le saint vieillard. Vous voulez m'insulter, je voudrais pouvoir vous défendre.

Ta révérence perd son temps. Va demander à ton autre confrère l'évêque de Scalholt, en Islande. Par Ingolphe, ce sera une chose étrange que deux évêques aient pris soin de ma vie, l'un près de mon berceau, l'autre près de mon sépulcre. Évêque, tu es un vieux fou.

Mon fils, croyezvous en Dieu?

Pourquoi non? Je veux qu'il soit un Dieu pour pouvoir blasphémer.

Arrêtez, malheureux! vous allez mourir, et vous ne baisez pas les pieds du Christ!

Han d'Islande haussa les épaules.

Si je le faisais, ce serait à la manière du gendarme de Roll, qui fit tomber le roi en lui baisant le pied.

L'évêque se rassit, profondément ému.

Allons, juges, poursuivit Han d'Islande, qu'attendezvous? Si j'avais été à votre place et vous à la mienne, je ne vous aurais point fait attendre si longtemps votre arrêt de mort. Le tribunal se retira. Après une courte délibération, il rentra dans l'audience, et le président lut à haute voix une sentence qui, selon les formules, condamnait Han d'Islande à être pendu par le cou jusqu'à ce que mort s'ensuivît.

Voilà qui est bien, dit le brigand. Chancelier d'Ahlefeld, j'en sais assez sur ton compte pour t'en faire obtenir autant. Mais vis, puisque tu fais du mal aux hommes. Allons, je suis sûr maintenant de ne point aller dans le Nysthiem. [Note: Selon les croyances populaires, le Nysthiem était l'enfer de ceux qui mouraient de maladie ou de vieillesse.]

Le secrétaire intime ordonna aux gardes qui l'emmenaient de le déposer dans le donjon du Lion de Slesvig, pendant qu'on lui préparerait un cachot, pour y attendre son exécution, dans le quartier des arquebusiers de Munckholm.

Dans le quartier des arquebusiers de Munckholm! répéta le monstre avec un grondement de joie.

VI

Cependant le cadavre de Ponce de Léon qui était

resté auprès de la fontaine, ayant été défiguré

par le soleil, les Maures des Alpuxares s'en

emparèrent et le portèrent à Grenade.

E.H. Le Captif d'Ochali

Cependant, avant l'aube du jour dans lequel nous sommes déjà assez avancés, à l'heure même où la sentence d'Ordener se prononçait à Munckholm, le nouveau gardien du Spladgest de Drontheim, l'ancien lieutenant et le successeur actuel de Benignus Spiagudry, Oglypiglap, avait été brusquement réveillé sur son grabat par le retentissement de la porte de l'édifice sous plusieurs coups violents. Il s'était levé à regret, avait pris sa lampe de cuivre dont la faible lumière blessait ses yeux endormis, et était allé, en jurant de l'humidité de la salle des morts, ouvrir à ceux qui l'arrachaient si tôt à son sommeil.

C'étaient des pêcheurs du lac de Sparbo, qui apportaient sur une litière couverte de joncs, d'algues et de limoselle des marais, un cadavre trouvé dans les eaux du lac.

Ils déposèrent leur fardeau dans l'intérieur de l'édifice funèbre, et Oglypiglap leur donna un reçu du mort afin qu'ils pussent réclamer leur salaire.

Resté seul dans le Spladgest, il commença à déshabiller le cadavre, qui était remarquable par sa longueur et sa maigreur. Le premier objet qui se présenta à ses yeux, quand il eut soulevé le voile dont il était enveloppé, fut une énorme perruque.

En vérité, se ditil, cette perruque de forme étrangère m'a déjà passé par les mains, c'était celle de ce jeune élégant français... Mais, continuatil en poursuivant ses opérations, voici les bottes fortes du pauvre postillon Cramner que ses chevaux ont écrasé, et...que diable estce que cela signifie?l'habit noir complet du professeur Syngramtax, ce vieux savant qui s'est noyé dernièrement.Quel est donc ce nouveau venu qui m'arrive avec la dépouille de toutes mes vieilles connaissances?

Il promena sa lampe sur le visage du mort, mais inutilement; les traits, déjà décomposés, avaient perdu leur forme et leur couleur. Il fouilla dans les poches de l'habit, et en tira quelques vieux parchemins imprégnés d'eau et souillés de vase; il les essuya fortement avec son tablier de cuir, et parvint à lire sur l'un d'eux ces mots sans suite à demi effacés: «Rudbeck. Saxon le grammairien. Arngrim, évêque de Holum.Il n'y a en Norvège que deux comtés, Larvig et Jarlsberg, et une baronnie…On ne trouve de mines d'argent qu'à Kongsberg; de l'aimant, des aspestes, qu'à Sundmoër; de l'améthyste, qu'à Guldbranshal; des calcédoines, des agates, du jaspe, qu'aux îles Faroër.À Noukahiva, en temps de famine, les hommes mangent leurs femmes et leurs enfants.Thormodus Thorfœus; Isleif, évêque de Scalholt, premier historien islandais.Mercure joua aux échecs avec la Lune, et lui gagna la soixantedouzième partie du jour.Malstrom, gouffre.Hirundo, hirudo.Cicéron, pois chiche; gloire.Frode le savant.Odin consultait la tête de Mimer, sage.(Mahomet et son pigeon, Sertorius et sa biche).Plus le sol… moins il renferme de gypse…»

Je ne puis en croire encore mes yeux! s'écriatil, laissant tomber le parchemin; c'est l'écriture de mon ancien maître, Benignus Spiagudry!

Alors, examinant de nouveau le cadavre, il reconnut les longues mains, les cheveux rares, et toute l'habitude du corps de l'infortuné.

Ce n'est pas à tort, pensatil en secouant la tête, qu'on a lancé contre lui une accusation de sacrilège et de nécromancie. Le diable l'a enlevé pour le noyer dans le Sparbo.Ce que c'est que de nous! qui eût jamais pensé que le docteur Spiagudry, après avoir si longtemps gardé les autres dans cette hôtellerie des morts, viendrait un jour de loin s'y faire garder luimême!

Le petit lapon philosophe soulevait le corps pour le porter sur l'une de ses six couches de granit, lorsqu'il s'aperçut que quelque chose de lourd était attaché par un lien de cuir au cou du malheureux Spiagudry.

C'est sans doute la pierre avec laquelle le démon l'a précipité dans le lac, murmuratil.

Il se trompait; c'était une petite cassette de fer, sur laquelle, en la regardant de près, après l'avoir soigneusement essuyée, il remarqua un large fermoir en écusson.

Il y a sans doute quelque diablerie dans cette boîte, se ditil; cet homme était sacrilège et sorcier. Allons déposer cette cassette chez l'évêque, elle renferme peutêtre un démon.

Alors, la détachant du cadavre, qu'il déposa dans la salle d'exposition, il sortit en toute hâte pour se rendre au palais épiscopal, murmurant en chemin quelques prières contre la redoutable boîte qu'il portait.

VII

Estce un homme ou un esprit infernal qui parle

ainsi? Quel est donc l'esprit malfaisant qui te

tourmente? Montremoi l'ennemi implacable qui

habite ton cœur.

MATURIN

Han d'Islande et Schumacker sont dans la même salle du donjon de Slesvig. L'exchancelier absous se promène à pas lents, les yeux chargés de pleurs amers; le brigand condamné rit de ses chaînes, environné de gardes.

Les deux prisonniers s'observent longtemps en silence; on dirait qu'ils se sentent tous deux et se reconnaissent mutuellement ennemis des hommes.

Qui estu? demande enfin l'exchancelier au brigand.

Je te dirai mon nom, reprit l'autre, pour te faire fuir. Je suis Han d'Islande.

Schumacker s'avance vers lui:

Prends ma main! ditil.

Estce que tu veux que je la dévore?

Han d'Islande, reprend Schumacker, je t'aime parce que tu hais les hommes.

Voilà pourquoi je te hais.

Écoute, je hais les hommes, comme toi, parce que je leur ai fait du bien, et qu'ils m'ont fait du mal.

Tu ne les hais pas comme moi; je les hais, moi, parce qu'ils m'ont fait du bien, et que je leur ai rendu du mal.

Schumacker frémit du regard du monstre. Il a beau vaincre sa nature, son âme ne peut sympathiser avec cellelà.

Oui, s'écrietil, j'exècre les hommes, parce qu'ils sont fourbes, ingrats, cruels. Je leur ai dû tout le malheur de ma vie.

Tant mieux!je leur ai dû, moi, tout le bonheur de la mienne.

Quel bonheur?

Le bonheur de sentir des chairs palpitantes frémir sous ma dent, un sang fumant réchauffer mon gosier altéré; la volupté de briser des êtres vivants contre des pointes de rochers, et d'entendre le cri de la victime se mêler au bruit des membres fracassés. Voilà les plaisirs que m'ont procurés les hommes.

Schumacker recula avec épouvante devant le monstre dont il s'était approché presque avec l'orgueil de lui ressembler. Pénétré de honte, il voila son visage vénérable de ses mains; car ses yeux étaient pleins de larmes d'indignation, non contre la race humaine, mais contre luimême. Son cœur noble et grand commençait à s'effrayer de la haine qu'il portait aux hommes depuis si longtemps en la voyant reproduite dans le cœur de Han d'Islande comme par un miroir effrayant.

Eh bien! dit le monstre en riant, ennemi des hommes, osestu te vanter d'être semblable à moi?

Le vieillard frissonna.

O Dieu! plutôt que de les haïr comme toi, j'aimerais mieux les aimer.

Les gardes vinrent chercher le monstre, pour l'emmener dans un cachot plus sûr. Schumacker rêveur resta seul dans le donjon; mais il n'y restait plus d'ennemi des hommes.

VIII

...... Quand le méchant m'épie,

Me ferezvous tomber,

Seigneur, entre ses mains?

C'est lui qui sous mes pas a rompu vos chemins.

Ne me châtiez point, car mon crime est son crime.

A. DE VIGNY

L'heure fatale était arrivée; le soleil ne montrait plus que la moitié de son disque audessus de l'horizon. Les postes étaient doublés dans tout le château fort de Munckholm; devant chaque porte se promenaient des sentinelles silencieuses et farouches. La rumeur de la ville arrivait plus tumultueuse et plus bruyante aux sombres tours de la forteresse, livrée ellemême à une agitation extraordinaire. On entendait dans toutes les cours le bruit lugubre des tambours voilés de crêpes; le canon de la tour basse grondait par intervalles; la lourde cloche du donjon se balançait lentement avec des sons graves et prolongés, et, de tous les points du port, des embarcations chargées de peuple se pressaient vers le redoutable rocher. Un échafaud tendu de noir, autour duquel s'épaississait et se grossissait sans cesse une foule impatiente, s'élevait dans la place d'armes du château, au centre d'un carré de soldats. Sur l'échafaud se promenait un homme vêtu de serge rouge, tantôt s'appuyant sur une hache qu'il tenait à la main, tantôt remuant un billot et une claie que portait l'estrade funèbre. Près de là était préparé un bûcher devant lequel brûlaient quelques torches de résine. Entre l'échafaud et le bûcher, on avait planté un pieu auquel était suspendu un écriteau: Ordener Guldenlew, traître.On apercevait, de la place d'Armes, flotter au haut du donjon de Slesvig un grand drapeau noir.

C'est dans ce moment que parut, devant le tribunal toujours assemblé dans la salle d'audience, Ordener condamné. L'évêque seulement était absent; son ministère de défenseur avait cessé.

Le fils du viceroi était vêtu de noir, et portait à son cou le collier de Dannebrog. Son visage était pâle, mais fier. Il était seul; car on était venu le chercher pour le supplice avant que l'aumônier Athanase Munder fût revenu dans son cachot.

Ordener avait déjà consommé intérieurement son sacrifice. Cependant l'époux d'Éthel songeait encore avec quelque amertume à la vie, et eût peutêtre voulu pouvoir choisir pour sa première nuit de noces une autre nuit que celle du tombeau. Il avait prié et surtout rêvé dans sa prison. Maintenant il était debout devant le terme de toute prière et de tout rêve. Il se sentait fort de la force que donnent Dieu et l'amour. La foule, plus émue que le condamné, le considérait avec une attention avide. L'éclat de son rang, l'horreur de son sort, éveillaient toutes les envies et toutes les pitiés. Chacun assistait à son châtiment sans s'expliquer son crime. Il y a au fond des hommes un sentiment étrange qui les pousse, ainsi qu'à des plaisirs, au spectacle des supplices. Ils cherchent avec un horrible empressement à saisir la pensée de la destruction sur les traits décomposés de celui qui va mourir, comme si quelque révélation du ciel ou de l'enfer devait apparaître, en ce moment solennel, dans les yeux du misérable; comme pour voir quelle ombre jette l'aile de la mort planant sur une tête humaine; comme pour examiner ce qui reste d'un homme quand l'espérance l'a quitté. Cet être, plein de force et de santé, qui se meut, qui respire, qui vit, et qui, dans un moment, cessera de se mouvoir, de respirer, de vivre, environné d'êtres pareils à lui, auxquels il n'a rien fait, qui le plaignent tous, et dont nul ne le secourra; ce malheureux, mourant sans être moribond, courbé à la fois sous une puissance matérielle et sous un pouvoir invisible; cette vie que la société n'a pu donner, et qu'elle prend avec appareil, toute cette cérémonie imposante du meurtre judiciaire, ébranlent vivement les imaginations. Condamnés tous à mort avec des sursis indéfinis, c'est pour nous un objet de curiosité étrange et douloureuse, que l'infortuné qui sait précisément à quelle heure son sursis doit être levé.

On se souvient qu'avant d'aller à l'échafaud Ordener devait être amené devant le tribunal, pour être dégradé de ses titres et de ses honneurs. À peine le mouvement excité dans l'assemblée par son arrivée eutil fait place au calme, que le président se fit apporter le livre héraldique des deux royaumes, et les statuts de l'ordre de Dannebrog.

Alors, ayant invité le condamné à mettre un genou en terre, il recommanda aux assistants le silence et le respect, ouvrit le livre des chevaliers de Dannebrog, et commença à lire d'une voix haute et sévère:

«Christiern, par la grâce et miséricorde du ToutPuissant, roi de Danemark et de Norvège, des Vandales et des Goths, duc de Slesvig, de Holstein, de Stormarie et de Dytmarse, comte d'Oldenbourg et de Delmenhurst, savoir faisonsqu'ayant rétabli, sur la proposition de notre grandchancelier, comte de Griffenfeld (la voix du président passa si rapidement sur ce nom qu'on l'entendit à peine), l'ordre royal de Dannebrog, fondé par notre illustre aïeul saint Waldemar,

«Sur ce que nous avons considéré que cet ordre vénérable ayant été créé en souvenir de l'étendard Dannebrog, envoyé du ciel à notre royaume béni,

«Ce serait mentir à la divine institution de l'ordre si quelqu'un des chevaliers pouvait impunément forfaire à l'honneur et aux saintes lois de l'église et de l'état.

Nous ordonnons, à genoux devant Dieu, que quiconque, parmi les chevaliers de l'ordre, aura livré son âme au démon par quelque félonie ou trahison, après avoir été blâmé publiquement par un juge, sera à jamais dégradé du rang de chevalier de notre royal ordre de Dannebrog.»

Le président referma le livre.

Ordener Guldenlew, baron de Thorvick, chevalier de Dannebrog, vous vous êtes rendu coupable de haute trahison, crime pour lequel votre tête va être tranchée, votre corps brûlé, et votre cendre jetée au vent.Ordener Guldenlew, traître, vous vous êtes rendu indigne de prendre rang parmi les chevaliers de Dannebrog. Je vous invite à vous humilier, car je vais vous dégrader publiquement au nom du roi.

Le président étendit la main sur le livre de l'ordre, et s'apprêtait à prononcer la formule fatale sur Ordener, calme et immobile, lorsqu'une porte latérale s'ouvrit à droite du tribunal. Un huissier ecclésiastique parut, annonçant sa révérence l'évêque de Drontheimhus.

C'était lui en effet. Il entra précipitamment dans la salle, accompagné d'un autre ecclésiastique qui le soutenait.

Arrêtez! seigneur président, criatil avec une force qui semblait n'être plus de son âge; arrêtez!Le ciel soit béni! j'arrive à temps:

L'assemblée redoubla d'attention, prévoyant quelque nouvel événement.

Le président se tourna vers l'évêque avec humeur:

Votre révérence me permettra de lui faire remarquer, que sa présence est inutile ici. Le tribunal va dégrader le condamné, qui touche au moment de subir sa peine.

Gardezvous, dit l'évêque, de toucher à celui qui est pur devant le Seigneur. Ce condamné est innocent. Rien ne peut se comparer au cri d'étonnement qui retentit dans l'auditoire, si ce n'est le cri d'épouvante que poussèrent le président et le secrétaire intime.

Oui, tremblez, juges, poursuivit l'évêque avant que le président eût eu le temps de reprendre son sangfroid; tremblez! car vous alliez verser le sang innocent.

Pendant que l'émotion du président se calmait, Ordener s'était levé consterné. Le noble jeune homme craignait que sa généreuse ruse ne fût découverte, et qu'on n'eût trouvé des preuves de la culpabilité de Schumacker.

Seigneur évêque, dit le président, dans cette affaire, le crime semble vouloir nous échapper, en passant de tête en tête. Ne vous fiez pas à quelque vaine apparence. Si Ordener Guldenlew est innocent, quel est donc alors le coupable?

Votre grâce va le savoir, répondit l'évêque.Puis, montrant au tribunal une cassette de fer qu'un serviteur portait derrière lui:Nobles seigneurs, vous avez jugé dans les ténèbres; dans cette cassette est la lumière miraculeuse qui doit les dissiper.

Le président, le secrétaire intime et Ordener parurent frappés en même temps, à l'aspect de la mystérieuse cassette. L'évêque poursuivit:

Nobles juges, écouteznous. Aujourd'hui, au moment où nous rentrions dans notre palais épiscopal, afin de nous reposer des fatigues de la nuit, et de prier pour les condamnés, on nous a remis cette boîte de fer scellée. Le gardien du Spladgest l'avait, nous aton dit, apportée ce matin à notre palais pour qu'elle nous fût remise, affirmant qu'elle renfermait sans doute quelque mystère satanique, attendu qu'il l'avait trouvée sur le corps du sacrilège Benignus Spiagudry, dont on a retiré le cadavre du Sparbo.

L'attention d'Ordener redoubla. Tout l'auditoire se taisait religieusement. Le président et le secrétaire courbaient la tête comme deux condamnés. On eût dit qu'ils avaient tous deux oublié leur astuce et leur audace. Il y a un moment dans la vie du méchant où sa puissance s'en va.

Après avoir béni cette cassette, continua l'évêque, nous en avons brisé le sceau, qui portait, comme vous pouvez le voir encore, les anciennes armoiries abolies de Griffenfeld. Nous y avons trouvé en effet un secret satanique. Vous allez en juger, vénérables seigneurs. Prêteznous toute votre attention; car il s'agit ici du sang des hommes, et le Seigneur en pèse chaque goutte.

Alors, ouvrant la formidable cassette, il en tira un parchemin au dos duquel était écrite l'attestation suivante:

«Moi, Blaxtham Cumbysulsum, docteur, je déclare, au moment de mourir, remettre au capitaine Dispolsen, procureur, à Copenhague, de l'ancien comte de Griffenfeld, la pièce suivante, entièrement écrite de la main de Turiaf Musdœmon, serviteur du chancelier comte d'Ahlefeld, afin que le susnommé capitaine en fasse l'usage qu'il lui plaira.Et je prie Dieu de me pardonner mes crimes.À Copenhague, le onzième jour du mois de janvier mil six cent quatrevingtdixneuf.

«CUMBYSULSUM.»

Le secrétaire intime tremblait d'un tremblement convulsif. Il voulut parler et ne le put. L'évêque cependant remettait le parchemin au président pâle et agité.

Que voisje? s'écria celuici en déployant le parchemin.Note au noble comte d'Ahlefeld, sur le moyen de se défaire juridiquement de Schumacker!....Je vous jure, révérend évêque....

Le parchemin tomba des mains du président.

Lisez, lisez, seigneur, poursuivit l'évêque. Je ne doute pas que votre indigne serviteur n'ait abusé de votre nom, comme il a abusé de celui du malheureux Schumacker. Voyez seulement ce qu'a produit votre haine peu charitable pour votre prédécesseur tombé. Un de vos courtisans a machiné en votre nom sa perte, espérant sans doute s'en faire un mérite auprès de votre grâce.

En montrant au président que les soupçons de l'évêque, qui connaissait tout le contenu de la cassette, ne tombaient pas sur lui, ces paroles le ranimèrent. Ordener respirait également. Il commençait à entrevoir que l'innocence du père de son Éthel allait éclater en même temps que la sienne propre. Il éprouvait un profond étonnement de cette destinée bizarre qui l'avait conduit à la poursuite d'un formidable brigand pour retrouver cette cassette, que son vieux guide Benignus Spiagudry portait sur lui; en sorte qu'elle le suivait pendant qu'il la cherchait. Il méditait aussi la grave leçon des événements qui, après l'avoir perdu par cette fatale cassette, le sauvaient par elle.

Le président, rappelant son sangfroid, lut alors, avec les signes d'une indignation que partageait tout l'auditoire, une longue note, où Musdœmon expliquait en détail l'abominable plan que nous lui avons vu suivre dans le cours de cette histoire. Plusieurs fois le secrétaire intime voulut se lever pour se défendre; mais à chaque fois la rumeur publique le repoussait sur son siège. Enfin l'odieuse lecture se termina au milieu d'un murmure d'horreur.

Hallebardiers, qu'on saisisse cet homme! dit le président, désignant le secrétaire intime.

Le misérable, sans force et sans parole, descendit de son siège, et fut jeté sur le banc d'infamie, parmi les huées de la populace.

Seigneurs juges, dit l'évêque, frémissez et réjouissezvous. La vérité, qui vient d'être portée à vos consciences, va encore vous être confirmée par ce que l'aumônier des prisons de cette royale ville, notre honoré frère Athanase Munder, ici présent, va vous apprendre.

C'était en effet Athanase Munder qui accompagnait l'évêque. Il s'inclina devant son pasteur et devant le tribunal, puis, sur un signe du président, il s'exprima ainsi:

Ce que je vais dire est la vérité. Me punisse le ciel si je profère ici une parole dans une intention autre que celle de bien faire!J'avais, d'après ce que j'avais vu ce matin dans le cachot du fils du viceroi, pensé en moimême que ce jeune homme n'était point coupable, quoique vos seigneuries l'aient condamné sur ses aveux. Or, j'ai été appelé, il y a quelques heures, pour donner les derniers secours spirituels au malheureux montagnard qui a été si cruellement assassiné devant vous, et que vous aviez condamné, respectables seigneurs, comme étant Han d'Islande. Voici ce que m'a dit ce moribond: «Je ne suis point Han d'Islande; j'ai été bien puni d'avoir pris ce nom. Celui qui m'a payé pour jouer ce rôle est le secrétaire intime de la grande chancellerie; il se nomme Musdœmon, et il a machiné toute la révolte sous le nom de Hacket. Je crois qu'il est le seul coupable dans tout ceci.» Alors il m'a demandé ma bénédiction et recommandé de venir en toute hâte reporter ses dernières paroles au tribunal. Dieu est témoin de ce que je dis. Puisseje sauver le sang de l'innocent, et ne point faire verser celui du coupable!

Il se tut, saluant de nouveau son évêque et les juges.

Votre grâce voit, seigneur, dit l'évêque au président, que l'un de mes clients n'avait point saisi à tort tant de ressemblance entre ce Hacket et votre secrétaire intime.

Turiaf Musdœmon; demanda le président au nouvel accusé, qu'avezvous à alléguer pour votre défense?

Musdœmon leva sur son maître un regard qui l'effraya. Toute son assurance lui était revenue. Il répondit après un moment de silence:

Rien, seigneur.

Le président reprit d'une voix altérée et faible:

Vous vous avouez donc coupable du crime qui vous est imputé? Vous vous avouez auteur d'une conspiration tramée à la fois contre l'état et contre un individu nommé Schumacker.

Oui, seigneur, répondit Musdœmon. L'évêque se leva.

Seigneur président, pour qu'il ne reste aucun doute dans cette affaire, que votre grâce demande à l'accusé s'il a eu des complices.

Des complices! répéta Musdœmon.

Il parut réfléchir un moment. Un horrible malaise se peignit sur le front du président.

Non, seigneur évêque, ditil enfin.

Le président jeta sur lui un regard soulagé qui rencontra le sien.

Non, je n'ai point eu de complices, répéta Musdœmon avec plus de force. J'avais tramé tout ce complot par attachement pour mon maître, qui l'ignorait, pour perdre son ennemi Schumacker.

Les regards de l'accusé et du président se rencontrèrent encore.

Votre grâce, reprit l'évêque, doit sentir que, puisque Musdœmon n'a point eu de complices, le baron Ordener Guldenlew ne peut être coupable.

S'il ne l'était pas, révérend évêque, comment se seraitil avoué criminel?

Seigneur président, comment ce montagnard s'estil obstiné à se dire Han d'Islande au péril de sa tête? Dieu seul sait ce qui existe au fond des cœurs.

Ordener prit la parole.

Seigneurs juges, je puis vous le dire, maintenant que le vrai coupable est découvert. Oui, je me suis faussement accusé, pour sauver l'ancien chancelier Schumacker, dont la mort eût laissé sa fille sans protecteur.

Le président se mordit les lèvres.

Nous demandons au tribunal, dit l'évêque, que l'innocence de notre client Ordener soit proclamée par lui.

Le président répondit par un signe d'adhésion; et, sur la demande du hautsyndic, on acheva l'examen de la redoutable cassette, qui ne renfermait plus que le diplôme et les titres de Schumacker mêlés à quelques lettres du prisonnier de Munckholm au capitaine Dispolsen, lettres amères sans être coupables, et qui ne pouvaient effrayer que le chancelier d'Ahlefeld.

Bientôt le tribunal se retira, et après une courte délibération, tandis que les curieux rassemblés dans la place d'Armes attendaient avec une impatience opiniâtre le fils du viceroi condamné, et que le bourreau se promenait nonchalamment sur l'échafaud, le président prononça, d'une voix presque éteinte, l'arrêt qui condamnait à mort Turiaf Musdœmon, et réhabilitait Ordener Guldenlew, le réintégrant dans tous ses honneurs, titres et privilèges.

IX

Combien me vendrastu ta carcasse, mon drôle? Je

n'en donnerais pas, en honneur, une obole.

Saint Michel à Satan. Mystère

Ce qui restait du régiment des arquebusiers de Munckholm était rentré dans son ancienne caserne, bâtiment isolé au milieu d'une grande cour carrée dans l'enceinte du fort. À la nuit tombante, on barricada, suivant l'usage, les portes de cet édifice, où s'étaient retirés tous les soldats, à l'exception des sentinelles dispersées sur les tours et du peloton de garde devant la prison militaire adossée à la caserne. Cette prison, la plus sûre et la mieux surveillée de toutes les prisons de Munckholm, renfermait les deux condamnés qui devaient être pendus le lendemain matin, Han d'Islande et Musdœmon.

Han d'Islande est seul dans son cachot. Il est étendu sur la terre, enchaîné, la tête appuyée sur une pierre; quelque faible lumière vient jusqu'à lui à travers une ouverture quadrangulaire grillée, pratiquée dans l'épaisse porte de chêne qui sépare son cachot de la salle voisine, où il entend ses gardiens rire et blasphémer, au bruit des bouteilles qu'ils vident et des dés qu'ils roulent sur un tambour. Le monstre s'agite en silence dans l'ombre, ses bras se resserrent et s'écartent, ses genoux se contractent et se déploient, ses dents mordent ses fers.

Tout à coup il élève la voix, il appelle; un guichetier se présente à l'ouverture grillée.

Que veuxtu? ditil au brigand.

Han d'Islande se soulève.

Compagnon, j'ai froid; mon lit de pierre est dur et humide; donnemoi une botte de paille pour dormir, et un peu de feu pour me réchauffer.

Il est juste, reprend le guichetier, de procurer au moins ses aises à un pauvre diable qui va être pendu, fûtil le diable d'Islande. Je vais t'apporter ce que tu me demandes. Astu de l'argent?

Non, répond le brigand.

Quoi! toi, le plus fameux voleur de la Norvège, tu n'as pas dans ta sacoche quelques méchants ducats d'or?

Non, répond le brigand.

Quelques petits écus royaux?

Non, te disje!

Pas même quelques pauvres ascalins?

Non, non, rien; pas de quoi acheter la peau d'un rat ou l'âme d'un homme.

Le guichetier hocha la tête:

C'est différent; tu as tort de te plaindre; ta cellule n'est pas aussi froide que celle où tu dormiras demain, sans t'apercevoir, je te jure, de la dureté du lit.

Cela dit, le guichetier se retira, emportant une malédiction du monstre, qui continua de se mouvoir dans ses chaînes, dont les anneaux rendaient par intervalles des bruits faibles, comme s'ils se fussent lentement brisés sous des tiraillements violents et réitérés.

La porte de chêne s'ouvrit; un homme de haute taille, vêtu de serge rouge, et portant une lanterne sourde, entra dans le cachot, accompagné du guichetier qui avait repoussé la prière du prisonnier. Celuici cessa tout mouvement.

Han d'Islande, dit l'homme vêtu de rouge, je suis Nychol Orugix, bourreau du Drontheimhus; je dois avoir demain, au lever du jour, l'honneur de pendre ton excellence par le cou à une belle potence neuve, sur la place publique de Drontheim.

Estu bien sûr en effet de me pendre? répondit le brigand.

Le bourreau se mit à rire.

Je voudrais que tu fusses aussi sûr de monter droit au ciel par l'échelle de Jacob, que tu es sûr de monter demain au gibet par l'échelle de Nychol Orugix.

En vérité? dit le monstre avec un malicieux regard.

Je te répète, seigneur brigand, que je suis le bourreau de la province.

Si je n'étais moi, je voudrais être toi, reprit le brigand.

Je ne t'en dirai pas autant, reprit le bourreau; puis, se frottant les mains d'un air vain et flatté:Mon ami, tu as raison, c'est un bel état que le nôtre. Ah! ma main sait ce que pèse la tête d'un homme.

Astu quelquefois bu du sang? demanda le brigand.

Non; mais j'ai souvent donné la question.

Astu quelquefois dévoré les entrailles d'un petit enfant vivant encore?

Non; mais j'ai fait crier des os entre les ais d'un chevalet de fer; j'ai tordu des membres dans les rayons d'une roue; j'ai ébréché des scies d'acier sur des crânes dont j'enlevais les chevelures; j'ai tenaillé des chairs palpitantes, avec des pinces rougies devant un feu ardent; j'ai brûlé le sang dans des veines entr'ouvertes, en y versant des ruisseaux de plomb fondu et d'huile bouillante.

Oui, dit le brigand pensif, tu as bien aussi tes plaisirs.

En somme, continua le bourreau, quoique tu sois Han d'Islande, je crois qu'il s'est encore envolé plus d'âmes de mes mains que des tiennes, sans compter celle que tu rendras demain.

En supposant que j'en aie une.Croistu donc, bourreau du Drontheimhus, que tu pourrais faire partir l'esprit d'Ingolphe du corps de Han d'Islande, sans qu'il emportât le tien?

La réponse du bourreau commença par un éclat de rire.

Ah, vraiment! nous verrons cela demain.

Nous verrons, dit le brigand.

Allons, dit le bourreau, je ne suis pas venu ici pour t'entretenir de ton esprit, mais seulement de ton corps. Écoutemoi!Ton cadavre m'appartient de droit après ta mort; cependant la loi te laisse la faculté de me le vendre; dismoi donc ce que tu en veux.

Ce que je veux de mon cadavre? dit le brigand.

Oui, et sois consciencieux.

Han d'Islande s'adressa au guichetier:

Dismoi, camarade, combien veuxtu me vendre une botte de paille et un peu de feu?

Le guichetier resta un moment rêveur:

Deux ducats d'or, réponditil.

Eh bien, dit le brigand au bourreau, tu me donneras deux ducats d'or de mon cadavre.

Deux ducats d'or! s'écria le bourreau. Cela est horriblement cher. Deux ducats d'or un méchant cadavre! Non, certes! je n'en donnerai pas ce prix.

Alors, répondit tranquillement le monstre, tu ne l'auras pas!

Tu seras jeté à la voirie, au lieu d'orner le musée royal de Copenhague ou le cabinet de curiosités de Berghen.

Que m'importe?

Longtemps après ta mort, on viendrait en foule examiner ton squelette, en disant: Ce sont les restes du fameux Han d'Islande! on polirait tes os avec soin, on les rattacherait avec des chevilles de cuivre; on te placerait sous une grande cage de verre, dont on aurait soin chaque jour d'enlever la poussière. Au lieu de ces honneurs, songe à ce qui t'attend, si tu ne veux pas me vendre ton cadavre; on t'abandonnera à la pourriture dans quelque charnier, où tu seras à la fois la pâture des vers et la proie des vautours.

Eh bien! je ressemblerai aux vivants qui sont sans cesse rongés par les petits et dévorés par les grands.

Deux ducats d'or! répétait le bourreau entre ses dents; quelle prétention exorbitante! Si tu ne modères ton prix, mon cher Han d'Islande, nous ne pourrons traiter ensemble.

C'est la première et probablement la dernière vente que je ferai de ma vie; je tiens à faire un marché avantageux.

Songe que je puis te faire repentir de ton opiniâtreté. Demain tu seras en ma puissance.

Croistu?

Ces mots étaient prononcés avec une expression qui échappa au bourreau.

Oui, et il y a une manière de serrer le nœud coulant.... tandis que, si tu deviens raisonnable, je te pendrai mieux.

Peu m'importe ce que tu feras demain de mon cou! répondit le monstre d'un air railleur.

Allons, ne pourraistu te contenter de deux écus royaux? Qu'en ferastu?

Adressetoi à ton camarade, dit le brigand en montrant le guichetier; il me demande deux ducats d'or pour un peu de paille et de feu.

Aussi, dit le bourreau, apostrophant le guichetier avec humeur, par la scie de saint Joseph! il est révoltant de faire payer du feu et de la méchante paille au poids de l'or. Deux ducats! Le guichetier répliqua aigrement:

Je suis bien bon de n'en pas exiger quatre!C'est vous, maître Nychol, qui êtes aussi arabe que le chiffre 2, de refuser à ce pauvre prisonnier deux ducats d'or de son cadavre, que vous pourrez vendre au moins vingt ducats à quelque savant ou à quelque médecin.

Je n'ai jamais payé un cadavre plus de quinze ascalins, dit le bourreau.

Oui, repartit le guichetier, le cadavre d'un mauvais voleur ou d'un misérable juif, cela peutêtre; mais chacun sait que vous tirerez ce que vous voudrez du corps de Han d'Islande.

Han d'Islande hocha la tête.

De quoi vous mêlezvous? dit Orugix brusquement; estce que je m'occupe, moi, de vos rapines, des vêtements, des bijoux que vous volez aux prisonniers, de l'eau sale que vous versez dans leur maigre bouillon, des tourments que vous leur faites éprouver pour tirer d'eux de l'argent?Non! je ne donnerai point deux ducats d'or.

Point de paille et point de feu, à moins de deux ducats d'or, répondit l'obstiné guichetier.

Point de cadavre à moins de deux ducats d'or, répéta le brigand immobile.

Le bourreau, après un moment de silence, frappa la terre du pied:

Allons, le temps me presse. Je suis appelé ailleurs. Il tira de sa veste un sac de cuir qu'il ouvrit lentement et comme à regret.

Tiens, maudit démon d'Islande, voilà tes deux ducats. Satan ne donnerait certes pas de ton âme ce que je donne de ton corps.

Le brigand reçut les deux pièces d'or. Aussitôt le guichetier avança la main pour les reprendre.

Un instant, compagnon, donnemoi d'abord ce que je t'ai demandé.

Le guichetier sortit, et revint un moment après, apportant une botte de paille fraîche et un réchaud plein de charbons ardents, qu'il plaça près du condamné.

C'est cela, dit le brigand en lui remettant les deux ducats, je me chaufferai cette nuit.Encore un mot, ajoutatil d'une voix sinistre:Le cachot ne touchetil pas à la caserne des arquebusiers de Munckholm?

Cela est vrai, repartit le guichetier.

Et d'où vient le vent?

De l'est, je crois.

C'est bon, reprit le brigand.

Où veux-tu donc en venir, camarade? demanda le guichetier.

À rien, répondit le brigand.

Adieu, camarade, à demain de bonne heure.

Oui, à demain, répéta le brigand.

Et le bruit de la lourde porte, qui se refermait, empêcha le bourreau et son compagnon d'entendre le ricanement sauvage et goguenard, qui accompagnait ces paroles.

X

Espéraistu finir par un autre trépas?

ALEX. SOUMET

Jetons maintenant un regard dans l'autre cachot de la prison militaire adossée à la caserne des arquebusiers, qui renferme notre ancienne connaissance Turiaf Musdœmon.

On s'est peutêtre étonné d'entendre ce Musdœmon, si profondément rusé, si profondément lâche, livrer avec tant de bonne foi le secret de son crime au tribunal qui l'a condamné, et cacher avec tant de générosité la part qu'y a prise son ingrat patron, le chancelier d'Ahlefeld. Qu'on se rassure cependant; Musdœmon n'était point converti. Cette généreuse bonne foi était peutêtre la plus grande preuve d'adresse qu'il eût jamais donnée. Quand il avait vu toute son infernale intrigue si inopinément dévoilée et si invinciblement démontrée, il avait été un instant étourdi et épouvanté. Cette première impression passée, l'extrême justesse de son esprit lui fit sentir que, dans l'impuissance de perdre désormais ses victimes désignées, il ne devait plus songer qu'à se sauver. Deux partis à prendre se présentèrent à lui: se décharger de tout sur le comte d'Ahlefeld, qui l'abandonnait si lâchement, ou prendre sur lui tout le crime qu'il avait partagé avec le comte. Un esprit vulgaire se fût jeté sur le premier, Musdœmon choisit le second. Le chancelier était chancelier, d'ailleurs rien ne le compromettait directement dans ces papiers qui accablaient son secrétaire intime; puis il avait échangé quelques regards d'intelligence avec Musdœmon; il n'en fallut pas davantage pour déterminer celuici à se laisser condamner, certain que le comte d'Ahlefeld faciliterait son évasion, moins encore par reconnaissance pour le service passé que par besoin de ses services futurs.

Il se promenait donc dans sa prison, qu'éclairait à peine une lampe sépulcrale, ne doutant pas que la porte ne lui en fût ouverte dans la nuit. Il examinait la forme de ce vieux cachot de pierre, bâti par d'anciens rois dont l'histoire sait, à peine les noms, s'étonnant seulement qu'il eût un plancher de bois, sur lequel ses pas retentissaient profondément comme s'il eût couvert quelque cavité souterraine. Il remarquait un gros anneau de fer scellé dans la clef de la voûte en ogive, et auquel pendait un lambeau de vieille corde rompue. Et le temps s'écoulait, et il écoutait avec impatience l'horloge du donjon sonner lentement les heures, en traînant ses tintements lugubres dans le silence de la nuit. Enfin, un mouvement de pas se fit entendre en dehors du cachot; son cœur battit d'espérance. L'énorme serrure cria, les cadenas s'agitèrent, les chaînes tombèrent; et, quand la porte s'ouvrit, son front rayonna de joie.

C'était le personnage en habits d'écarlate que nous venons de voir dans le cachot de Han. Il portait sous son bras un rouleau de corde de chanvre, et était accompagné de quatre hallebardiers vêtus de noir et armés d'épées et de pertuisanes.

Musdœmon était encore en robe et en perruque de magistrat. Ce costume parut faire effet sur l'homme rouge. Il le salua comme accoutumé à le respecter.

Seigneur, demandatil au prisonnier avec quelque hésitation, estce à votre courtoisie que nous avons affaire?

Oui, oui, répondit en hâte Musdœmon confirmé dans son espoir d'évasion par ce début poli, et ne remarquant point la couleur sanglante des vêtements de celui qui lui parlait.

Vous vous nommez, dit l'homme, les yeux fixés sur un parchemin qu'il avait déployé, Turiaf Musdœmon.

Précisément. Vous venez, mes amis, de la part du grandchancelier?

Oui, votre courtoisie.

N'oubliez pas, quand vous aurez terminé votre mission, d'exprimer à sa grâce toute ma reconnaissance.

L'homme aux habits rouges leva sur lui un regard étonné.

Votre.... reconnaissance!....

Oui, sans doute, mes amis; car il me sera probablement impossible de la lui témoigner moimême tout de suite.

Probablement, répondit l'homme avec une expression ironique.

Et vous sentez, poursuivit Musdœmon, que je ne dois pas me montrer ingrat pour un pareil service.

Par la croix du bon larron, s'écria l'autre en riant lourdement, on dirait, à vous entendre, que le chancelier fait pour votre courtoisie tout autre chose.

Sans doute, il ne me rend encore en ce moment qu'une justice rigoureuse!

Rigoureuse, soit!mais enfin vous convenez que c'est justice. C'est le premier aveu de ce genre que j'entends depuis vingtsix ans que j'exerce. Allons, seigneur, le temps se passe en paroles; êtesvous prêt?

Je le suis, dit Musdœmon joyeux, faisant un pas vers la porte.

Attendez, attendez un moment, cria l'homme rouge, se baissant pour déposer à terre son rouleau de corde.

Musdœmon s'arrêta.

Pourquoi donc toute cette corde?

Votre courtoisie a raison de me faire cette question; j'en ai là en effet bien plus qu'il ne m'en faut; mais, au commencement de ce procès, je croyais avoir bien plus de condamnés.

En parlant ainsi l'homme dénouait son rouleau de corde.

Allons, dépêchons, dit Musdœmon.

Votre courtoisie est bien pressée.Estce qu'elle n'a pas encore quelque prière?....

Point d'autre que celle que je vous ai déjà adressée, de remercier pour moi sa grâce.Pour Dieu, hâtonsnous, ajouta Musdœmon, je suis impatient de sortir d'ici. Avonsnous beaucoup de chemin à faire?

De chemin! reprit l'homme au vêtement d'écarlate, se redressant et mesurant plusieurs brasses de corde déroulée. La route qui nous reste à faire ne fatiguera pas beaucoup votre courtoisie; car nous allons tout terminer sans mettre le pied hors d'ici.

Musdœmon tressaillit.

Que voulezvous dire?

Que voulezvous dire vousmême? demanda l'autre.

O Dieu! dit Musdœmon, pâlissant comme s'il entrevoyait une lueur funèbre; qui êtesvous?

Je suis le bourreau.

Le misérable trembla ainsi qu'une feuille sèche que le vent secoue.

Estce que vous ne venez pas pour me faire évader? murmuratil d'une voix éteinte.

Le bourreau partit d'un éclat de rire.

Si fait vraiment! pour vous faire évader dans le pays des esprits, où je vous proteste qu'on ne pourra plus vous reprendre.

Musdœmon s'était prosterné la face contre terre.

Grâce! ayez pitié de moi! Grâce!

Sur ma foi, dit froidement le bourreau, c'est la première fois qu'on me fait une pareille demande.

Estce que vous me prenez pour le roi?

L'infortuné se traînait à genoux, souillant sa robe dans la poussière, frappant le plancher de son front, un moment auparavant si radieux, et embrassant les pieds du bourreau avec des cris sourds et des sanglots étouffes.

Allons, paix! reprit le bourreau. Je n'avais point encore vu la robe noire s'humilier devant ma veste rouge.

Il repoussa du pied le suppliant.

Camarade, prie Dieu et les saints; ils t'écouteront mieux que moi.

Musdœmon resta agenouillé, le visage caché dans ses mains et pleurant amèrement. Cependant le bourreau, se haussant sur la pointe des pieds, avait passé la corde dans l'anneau de la voûte; il la laissa pendre jusque sur le plancher, puis l'arrêta par un double tour, puis prépara un nœud coulant à l'extrémité qui touchait à terre.

J'ai fini, ditil au condamné quand ces menaçants apprêts furent terminés; en astu fini de même avec la vie?

Non, dit Musdœmon se levant, non, cela ne se peut! Vous commettez quelque horrible méprise. Le chancelier d'Ahlefeld n'est point assez infâme... Je lui suis trop nécessaire. Il est impossible que ce soit pour moi que l'on vous ait envoyé. Laissezmoi fuir, craignez d'encourir la colère du chancelier.

Ne nous astu point déclaré, répliqua le bourreau, que tu étais Turiaf Musdœmon?

Le prisonnier demeura un moment silencieux:

Non, ditil tout à coup, non, je ne me nomme point Musdœmon; je me nomme Turiaf Orugix.

Orugix! s'écria le bourreau, Orugix!

Il arracha précipitamment la perruque qui cachait le visage du condamné, et poussa un cri de stupeur:

Mon frère!

Ton frère! répondit le condamné avec un étonnement mêlé de honte et de joie, seraistu?...

Nychol Orugix, bourreau du Drontheimhus, pour te servir, mon frère Turiaf.

Le condamné se jeta au cou de l'exécuteur, en l'appelant son frère, son frère chéri. Cette reconnaissance fraternelle n'eût pas dilaté le cœur de celui qui en eût été témoin. Turiaf prodiguait à Nychol mille caresses avec un sourire affecté et craintif, auquel Nychol répondait par des regards sombres et embarrassés; on eût dit un tigre flattant un éléphant au moment où le pied pesant du monstre presse son ventre haletant.

Quel bonheur, frère Nychol!Je suis bien joyeux de te revoir.

Et moi, j'en suis fâché pour toi, frère Turiaf. Le condamné feignait de ne point entendre, et poursuivait d'une voix tremblante:

Tu as une femme et des enfants, sans doute? Tu me mèneras voir mon aimable sœur et embrasser mes charmants neveux.

Signe de croix du démon! murmura le bourreau.

Je veux être leur second père. Écoute, frère, je suis puissant, j'ai du crédit....

Le frère répondit d'un accent sinistre:

Je sais que tu en avais!À présent ne songe plus qu'à celui que tu as sans doute su te ménager près des saints.

Toute espérance disparut du front du condamné.

O Dieu! que signifie ceci, cher Nychol? Je suis sauvé, puisque je te retrouve.Songe que le même ventre nous a portés, que le même sein nous a nourris, que les mêmes jeux ont occupé notre enfance; souvienstoi, Nychol, que tu es mon frère!

Jusqu'à cette heure, tu ne t'en étais pas souvenu, répondit le farouche Nychol.

Non, je ne puis mourir de la main de mon frère!

C'est ta faute, Turiaf.C'est toi qui as rompu ma carrière; qui m'as empêché d'être exécuteur royal de Copenhague; qui m'as fait jeter, comme bourreau de province, dans ce misérable pays. Si tu n'avais point agi ainsi en mauvais frère, tu ne te plaindrais pas de ce qui te révolte aujourd'hui. Je ne serais point dans le Drontheimhus, et ce serait un autre qui ferait ton affaire.

Nous en avons dit assez, mon frère, il faut mourir.

La mort est hideuse au méchant, par le même sentiment qui la rend belle à l'homme de bien; tous deux vont quitter ce qu'ils ont d'humain, mais le juste est délivré de son corps comme d'une prison, le méchant en est arraché comme d'une forteresse. Au dernier moment, l'enfer se révèle à l'âme perverse qui a rêvé le néant. Elle frappe avec inquiétude sur la sombre porte de la mort, et ce n'est pas le vide qui lui répond. Le condamné se roula sur le plancher en se tordant les bras avec une plainte plus déchirante que la lamentation éternelle d'un damné.

Miséricorde de Dieu! Saints anges du ciel, si vous existez, ayez compassion de moi! Nychol, mon Nychol, au nom de notre mère commune, oh! laissemoi vivre!

Le bourreau montra son parchemin.

Je ne puis; l'ordre est précis.

Cet ordre ne me concerne pas, balbutia le désespéré prisonnier; il regarde un certain Musdœmon, ce n'est pas moi; je suis Turiaf Orugix.

Tu veux rire, dit Nychol en haussant les épaules. Je sais bien qu'il s'agit de toi. D'ailleurs, ajoutatil durement, tu n'aurais point été hier, pour ton frère, Turiaf Orugix; tu n'es pour lui aujourd'hui que Turiaf Musdœmon.

Mon frère, mon frère! reprit le misérable, eh bien! attends jusqu'à demain! Il est impossible que le grandchancelier ait donné l'ordre de ma mort. C'est un affreux malentendu. Le comte d'Ahlefeld m'aime beaucoup. Je t'en conjure, mon cher Nychol, la vie!Je serai bientôt rentré en faveur, et je te rendrai tous les services....

Tu ne peux plus m'en rendre qu'un, Turiaf, interrompit le bourreau. J'ai déjà perdu les deux exécutions sur lesquelles je comptais le plus, celles de l'exchancelier Schumacker et du fils du viceroi. J'ai toujours du malheur. Il ne me reste plus que Han d'Islande et toi. Ton exécution, comme nocturne et secrète, me vaudra douze ducats d'or. Laissemoi donc faire tranquillement, voilà le seul service que j'attends de toi.

O Dieu! dit douloureusement le condamné.

Ce sera le premier et le dernier, à la vérité; mais, en revanche, je te promets que tu ne souffriras point. Je te pendrai en frère.Résignetoi.

Musdœmon se leva; ses narines étaient gonflées de rage, ses lèvres vertes tremblaient, ses dents claquaient, sa bouche écumait de désespoir.

Satan!J'aurai sauvé ce d'Ahlefeld! j'aurai embrassé mon frère! et ils me tueront!, et il faudra mourir la nuit, dans un cachot obscur, sans que le monde puisse entendre mes malédictions, sans que ma voix puisse tonner, sur eux d'un bout du royaume à l'autre, sans que ma main puisse déchirer le voile de tous leurs crimes! Ce sera pour arriver à cette mort que j'aurai souillé toute ma vie!Misérable! poursuivitil, s'adressant à son frère, tu veux donc être fratricide?

Je suis bourreau, répondit le flegmatique Nychol.

Non! s'écria le condamné. Et il s'était jeté à corps perdu sur le bourreau, et ses yeux lançaient des flammes et répandaient des larmes, comme ceux d'un taureau aux abois. Non, je ne mourrai pas ainsi! Je n'aurai point vécu comme un serpent formidable pour mourir comme le misérable ver qu'on écrase! Je laisserai ma vie dans ma dernière morsure; mais elle sera mortelle.

En parlant ainsi, il étreignait en ennemi celui qu'il venait d'embrasser en frère. Le flatteur et caressant Musdœmon se montrait en ce moment ce qu'il était dans son essence. Le désespoir avait remué le fond de son âme ainsi qu'une lie, et après avoir rampé comme le tigre, il se redressait comme lui. Il eût été difficile de décider lequel des deux frères était le plus effroyable, dans ce moment où ils luttaient, l'un avec la stupide férocité d'une bête sauvage, l'autre avec la fureur rusée d'un démon.

Mais les quatre hallebardiers, jusqu'alors impassibles, n'étaient pas restés immobiles. Ils avaient prêté assistance au bourreau, et bientôt Musdœmon, qui n'avait d'autre force que sa rage, fut contraint de lâcher prise. Il alla se jeter à plat ventre contre la muraille, poussant des hurlements inarticulés et émoussant ses ongles sur la pierre.

Mourir! démons de l'enfer! mourir sans que mes cris percent ces voûtes, sans que mes bras renversent ces murs!

On le saisit sans éprouver de résistance. Son effort inutile l'avait épuisé. On le dépouilla de sa robe pour le garrotter. En ce moment, un paquet cacheté tomba de ses vêtements.

Qu'est cela? dit le bourreau.

Une espérance infernale luisait dans l'œil hagard du condamné.

Comment avaisje oublié cela? murmuratil.Écoute, frère Nychol, ajoutatil d'une voix presque amicale; ces papiers appartiennent au grandchancelier. Prometsmoi de les lui remettre, et fais ensuite de moi ce que tu voudras.

Puisque tu es tranquille maintenant, je te promets de remplir ta dernière intention, quoique tu viennes d'agir envers moi comme un mauvais frère. Ces papiers seront remis au chancelier, foi d'Orugix.

Demande à les lui remettre toimême, reprit le condamné en souriant au bourreau, qui, par sa nature, comprenait peu les sourires. Le plaisir qu'ils causeront à sa grâce te vaudra peutêtre quelque faveur.

Vrai, frère? dit Orugix. Merci. Peutêtre le diplôme d'exécuteur royal, n'estce pas? Eh bien! quittonsnous bons amis. Je te pardonne les coups d'ongles que tu m'as donnés; pardonnemoi le collier de corde que tu vas recevoir de moi.

Le chancelier m'avait promis un autre collier, répondit Musdœmon.

Alors les hallebardiers l'amenèrent garrotté au milieu du cachot; le bourreau lui passa le fatal nœud coulant autour du cou.

Turiaf, estu prêt?

Un instant! un instant! dit le condamné, auquel sa terreur était revenue; de grâce, mon frère, ne tire pas la corde avant que je ne te le dise.

Je n'aurai pas besoin de tirer la corde, répondit le bourreau.

Une minute après il répéta sa question:

Estu prêt?

Encore un instant! hélas! il faut donc mourir!

Turiaf, je n'ai pas le temps d'attendre.

En parlant ainsi, Orugix invitait les hallebardiers à s'éloigner du condamné.

Un mot encore, frère! n'oublie pas de remettre le paquet au comte d'Ahlefeld.

Sois tranquille, répliqua le frère. Il ajouta pour la troisième fois:Allons, estu prêt?

L'infortuné ouvrait la bouche pour implorer peutêtre encore une minute de vie, quand le bourreau impatient se baissa. Il tourna un bouton de cuivre qui sortait du plancher.

Le plancher se déroba sous le patient; le misérable disparut dans une trappe carrée, au bruit sourd de la corde qui se tendait soudainement avec d'effrayantes vibrations, causées en partie par les dernières convulsions du mourant. On ne vit plus que la corde qui s'agitait dans la sombre ouverture, d'où s'échappaient un vent frais et une rumeur pareille à celle de l'eau courante.

Les hallebardiers euxmêmes reculèrent frappés d'horreur. Le bourreau s'approcha du gouffre, saisit de la main la corde qui vibrait toujours et se suspendit sur l'abîme, s'appuyant des deux pieds sur les épaules du patient. La fatale corde se tendit avec un son rauque et demeura immobile. Un soupir étouffé venait de sortir de la trappe.

C'est bon, dit le bourreau remontant dans le cachot. Adieu, frère.

Il tira un coutelas de sa ceinture.

Va nourrir les poissons du golfe. Que ton corps soit la proie de l'eau tandis que ton âme sera celle du feu.

À ces mots, il coupa la corde tendue. Ce qui en resta suspendu à l'anneau de fer revint fouetter la voûte, tandis qu'on entendait l'eau profonde et ténébreuse rejaillir de la chute du corps, puis continuer sa course souterraine vers le golfe.

Le bourreau referma la trappe comme il l'avait ouverte. Au moment où il se redressait, il vit le cachot plein de fumée.

Qu'estce donc? demandatil aux hallebardiers; d'où vient cette fumée?

Ils l'ignoraient comme lui. Surpris, ils ouvrirent la porte du cachot; les corridors de la prison étaient également inondés d'une fumée épaisse et nauséabonde. Une issue secrète les conduisit, alarmés, dans la cour carrée, où un spectacle effrayant les attendait.

Un immense incendie, accru par la violence du vent d'est, dévorait la prison militaire et la caserne des arquebusiers. La flamme, poussée en tourbillons, rampait autour des murs de pierre, couronnait les toits ardents, sortait comme d'une bouche des fenêtres dévorées; et les noires tours de Munckholm tantôt se rougissaient d'une clarté sinistre, tantôt disparaissaient dans d'épais nuages de fumée.

Un guichetier qui fuyait dans la cour leur apprit en peu de mots que le feu était parti, pendant le sommeil des gardiens de Han d'Islande, du cachot du monstre, auquel on avait eu l'imprudence de donner de la paille et du feu.

J'ai bien du malheur! s'écria Orugix à ce récit; voilà encore sans doute Han d'Islande qui m'échappe. Le misérable aura été brûlé! et je n'aurai même plus son corps que j'ai payé deux ducats!

Cependant les malheureux arquebusiers de Munckholm, réveillés en sursaut par cette mort imminente, se pressaient en foule à la grande porte, embarrassée de funestes barricades; on entendait du dehors leurs clameurs d'angoisse et de détresse; on les voyait se tordre les bras aux fenêtres en feu ou se précipiter sur les dalles de la cour, évitant une mort dans une autre. La flamme victorieuse embrassait tout l'édifice, avant que le reste de la garnison eût eu le temps d'accourir. Tout secours était déjà inutile. Le bâtiment était heureusement isolé; on se borna à enfoncer à coups de hache la porte principale; mais ce fut trop tard, car au moment où elle s'ouvrait, toute la charpente embrasée du toit de la caserne s'écroula avec un long fracas sur les infortunés soldats, entraînant dans sa chute les combles et les étages incendiés. L'édifice entier disparut alors dans un tourbillon de poussière enflammée et de fumée ardente, où s'éteignaient quelques faibles clameurs.

Le lendemain matin il ne s'élevait plus dans la cour carrée que quatre hautes murailles noires et chaudes encore, entourant un horrible amas de décombres fumants qui continuaient à se dévorer les uns les autres, comme des bêtes dans un cirque. Quand toute cette ruine fut un peu refroidie, on en fouilla les profondeurs. Sous une couche de pierres, de poutres et de ferrures tordues par le feu, reposait un amas d'ossements blanchis et de cadavres défigurés; avec une trentaine de soldats, pour la plupart estropiés, c'était ce qui restait du beau régiment de Munckholm.

Lorsqu'en remuant les débris de la prison on arriva au cachot fatal d'où l'incendie était parti et que Han d'Islande avait habité, on y trouva les restes d'un corps humain, couché près d'un réchaud de fer, sur des chaînes rompues. On remarqua seulement que parmi ces cendres il y avait deux crânes, quoiqu'il n'y eût qu'un cadavre.

SALADIN. Bravo, Ibrahim! tu es vraiment un messager de bonheur; je te remercie de ta bonne nouvelle.

LE MAMELOUCK. Eh bien! il n'en est que cela?

SALADIN. Qu'attendstu?

LE MAMELOUCK. Il n'y a rien de plus pour le messager du bonheur?

LESSING, Nathan le Sage.

Pâle et défait, le comte d'Ahlefeld se promène à grands pas dans son appartement; il froisse dans ses mains un paquet de lettres qu'il vient de parcourir, et frappe du pied le marbre poli et les tapis à franges d'or.

À l'autre bout de l'appartement se tient debout, quoique dans l'attitude d'une prostration respectueuse, Nychol Orugix, vêtu de son infâme pourpre et son chapeau de feutre à la main.

Tu m'as rendu service, Musdœmon, murmure le chancelier entre ses dents, resserrées par la colère. Le bourreau lève timidement son regard stupide:

Sa grâce est contente?

Que veuxtu, toi? dit le chancelier se détournant brusquement.

Le bourreau, fier d'avoir attiré un regard du chancelier, sourit d'espérance.

Ce que je veux, votre grâce? La place d'exécuteur à Copenhague, si votre grâce daigne payer par cette haute faveur les bonnes nouvelles que je lui apporte.

Le chancelier appelle les deux hallebardiers de garde à la porte de son appartement.

Qu'on saisisse ce drôle, qui a l'insolence de me narguer.

Les deux gardes entraînent Nychol stupéfait et consterné, qui hasarde encore une parole:

Seigneur....

Tu n'es plus bourreau du Drontheimhus! j'annule ton diplôme! reprend le chancelier poussant la porte avec violence.

Le chancelier ressaisit les lettres, les lit, les relit, avec rage, s'enivrant en quelque sorte de son déshonneur, car ces lettres sont l'ancienne correspondance de la comtesse avec Musdœmon. C'est l'écriture d'Elphége. Il y voit qu'Ulrique n'est pas sa fille, que ce Frédéric si regretté n'était peutêtre pas son fils. Le malheureux comte est puni par le même orgueil qui a causé tous ses crimes. C'est peu d'avoir vu sa vengeance fuir de sa main; il voit tous ses rêves ambitieux s'évanouir, son passé flétri, son avenir mort. Il a voulu perdre ses ennemis; il n'a réussi qu'à perdre son crédit, son conseiller, et jusqu'à ses droits de mari et de père.

Il veut du moins voir une fois encore la misérable qui l'a trahi. Il traverse les grandes salles d'un pas rapide, secouant les lettres dans ses mains, comme s'il eût tenu la foudre. Il ouvre en furieux la porte de l'appartement d'Elphége. Il entre...

Cette coupable épouse venait d'apprendre subitement du colonel Voethaün l'horrible mort de son fils Frédéric. La pauvre mère était folle.

Ce que j'avais dit par plaisanterie, vous l'avez

pris sérieusement.

Romances espagnoles. Le roi Alphonse à Bernard

Depuis quinze jours, les événements que nous venons de raconter occupaient toutes les conversations de Drontheim et du Drontheimhus, jugés selon les diverses faces qu'ils avaient présentées au jour. La populace de la ville, qui s'était vainement attendue au spectacle de sept exécutions successives, commençait à désespérer de ce plaisir; et les vieilles femmes, à demi aveugles, racontaient encore qu'elles avaient vu, la nuit du déplorable embrasement de la caserne, Han d'Islande s'envoler dans une flamme, riant dans l'incendie, et poussant du pied la toiture brûlante de l'édifice sur les arquebusiers de Munckholm; lorsque, après une absence qui avait semblé bien longue à son Éthel, Ordener reparut dans le donjon du Lion de Slesvig, accompagné du général Levin de Knud et de l'aumônier Athanase Munder.

Schumacker se promenait en ce moment dans le jardin, appuyé sur sa fille. Les deux jeunes époux eurent bien de la peine à ne point tomber dans les bras l'un de l'autre; il fallut encore se contenter d'un regard. Schumacker serra affectueusement la main d'Ordener et salua d'un air de bienveillance les deux étrangers.

Jeune homme, dit le vieux captif, que le ciel bénisse votre retour!

Seigneur, répondit Ordener, j'arrive. Je viens de voir mon père de Berghen, je reviens embrasser mon père de Drontheim.

Que voulezvous dire? demanda le vieillard étonné.

Que vous me donniez votre fille, noble seigneur.

Ma fille! s'écria le prisonnier, se tournant vers Éthel rouge et tremblante.

Oui, seigneur, j'aime votre Éthel; je lui ai consacré ma vie; elle est à moi.

Le front de Schumacker se rembrunit:

Vous êtes un noble et digne jeune homme, mon fils; quoique votre père m'ait fait bien du mal, je le lui pardonne en votre faveur, et je verrais volontiers cette union. Mais il y a un obstacle.

Lequel, seigneur? demanda Ordener presque inquiet.

Vous aimez ma fille; mais êtesvous sûr qu'elle vous aime?

Les deux amants se regardèrent, muets de surprise.

Oui, poursuivit le père. J'en suis fâché; car je vous aime, moi, et j'aurais voulu vous appeler mon fils. C'est ma fille qui ne voudra pas. Elle m'a déclaré dernièrement son aversion pour vous. Depuis votre départ, elle se tait quand je lui parle de vous, et semble éviter votre pensée, comme si elle la gênait. Renoncez donc à votre amour, Ordener. Allez, on se guérit d'aimer comme de haïr.

Seigneur... dit Ordener stupéfait.

Mon père!... ditÉthel joignant les mains.

Ma fille, sois tranquille, interrompit le vieillard; ce mariage me plaît, mais il te déplaît. Je ne veux pas torturer ton cœur, Éthel. Depuis quinze jours je suis bien changé, va. Je ne forcerai pas ta répugnance pour Ordener. Tu es libre.

Athanase Munder souriait.

Elle ne l'est pas, ditil.

Vous vous trompez, mon noble père, ajouta Éthel enhardie. Je ne hais pas Ordener.

Comment! s'écria le père.

Je suis... reprit Éthel. Elle s'arrêta. Ordener s'agenouilla devant le vieillard.

Elle est ma femme, mon père! Pardonnezmoi comme mon autre père m'a déjà pardonné, et bénissez vos enfants.

Schumacker, étonné à son tour, bénit le jeune couple incliné devant lui.

J'ai tant maudit dans ma vie, ditil, que je saisis maintenant sans examen toutes les occasions de bénir. Mais à présent expliquezmoi....

On lui expliqua tout. Il pleurait d'attendrissement, de reconnaissance et d'amour.

Je me croyais sage, je suis vieux, et je n'ai pas compris le cœur d'une jeune fille!

Je m'appelle donc Ordener Guldenlew! disait Éthel avec une joie enfantine.

Ordener Guldenlew, reprit le vieux Schumacker, vous valez mieux que moi; car, dans ma prospérité, je ne serais certes pas descendu de mon rang pour m'unir à la fille pauvre et dégradée d'un malheureux proscrit.

Le général prit la main du prisonnier et lui remit un rouleau de parchemins:

Seigneur comte, ne parlez pas ainsi. Voici vos titres que le roi vous avait déjà renvoyés par Dispolsen. Sa majesté vient d'y joindre le don de votre grâce et de votre liberté. Telle est la dot de la comtesse de Danneskiold, votre fille.

Grâce! liberté! répéta Éthel ravie.

Comtesse de Danneskiold! ajouta le père.

Oui, comte, continua le général, vous rentrez dans tous vos honneurs, tous vos biens vous sont rendus!

À qui doisje tout cela? demanda l'heureux Schumacker.

Au général Levin de Knud, répondit Ordener.

Levin de Knud! Je vous le disais bien, général gouverneur, Levin de Knud est le meilleur des hommes. Mais pourquoi n'estil pas venu luimême m'apporter mon bonheur? où estil?

Ordener montra avec étonnement le général qui souriait et pleurait:

Le voici!

Ce fut une scène touchante que la reconnaissance de ces deux vieux compagnons de puissance et de jeunesse. Le cœur de Schumacker se dilatait enfin. En connaissant Han d'Islande, il avait cessé de haïr les hommes; en connaissant Ordener et Levin, il se prenait à les aimer.

Bientôt de belles et douces fêtes solennisèrent le sombre hymen du cachot. La vie commença à sourire aux deux jeunes époux qui avaient su sourire à la mort. Le comte d'Ahlefeld les vit heureux; ce fut sa plus cruelle punition.

Athanase Munder eut aussi sa joie. Il obtint la grâce de ses douze condamnés, et Ordener y ajouta celle de ses anciens confrères d'infortune, Kennybol, Jonas et Norbith, qui retournèrent libres et joyeux annoncer, aux mineurs pacifiés que le roi les délivrait de la tutelle.

Schumacker ne jouit pas longtemps de l'union d'Éthel et d'Ordener; la liberté et le bonheur avaient trop ébranlé son âme; elle alla jouir d'un autre bonheur et d'une autre liberté. Il mourut dans la même année 1699, et ce chagrin vint frapper ses enfants, comme pour leur apprendre qu'il n'est point de félicité parfaite sur la terre. On l'inhuma dans l'église de Veer, terre que son gendre possédait dans le Jutland, et le tombeau lui conserva tous les titres que la captivité lui avait enlevés. De l'alliance d'Ordener et d'Éthel naquit la famille des comtes de Danneskiold.

Milton Keynes UK
Ingram Content Group UK Ltd.
UKHW050821040923
428018UK00009B/666